TOUTE PERSONNE
EST
UNE HISTOIRE SACRÉE

JEAN VANIER

TOUTE PERSONNE
EST
UNE HISTOIRE SACRÉE

PLON
76, rue Bonaparte
PARIS

Laurédit.inc.

Avant-propos

Depuis plus de trente ans, je vis à l'« Arche » avec des hommes et des femmes ayant un handicap mental, après avoir été officier de marine et professeur de philosophie. L'aventure de l'Arche a commencé en 1963, quand un dominicain, le père Thomas Philippe, m'a invité à venir le voir à Trosly-Breuil, un petit village près de Compiègne, à cent kilomètres au nord de Paris, pour faire la connaissance de ses nouveaux amis, des personnes ayant un handicap mental qui vivaient dans une résidence dont il était l'aumônier. Je suis venu et j'ai rencontré avec une certaine gêne, et même avec une certaine peur, ces hommes faibles et fragiles, blessés par un accident ou une maladie, et sans doute encore plus par le mépris et le rejet. Cette visite m'a aussi ému. Chacun semblait affamé d'amitié et d'affection ; chacun s'attachait à moi, me demandant par la parole ou le regard : « Est-ce que tu m'aimes ? Veux-tu devenir mon ami ? »

Chacun aussi m'interrogeait par son corps abattu, cassé : « Pourquoi ? Pourquoi suis-je comme cela ? Pourquoi mes parents ne veulent-ils pas de moi ? Pourquoi ne suis-je pas comme mes frères et mes sœurs ? »

C'est ainsi que j'ai pénétré dans un monde de souffrance dont j'ignorais tout. Touché par ces questions, j'ai commencé à visiter des hôpitaux psychiatriques, des institutions et des asiles ; j'ai rencontré aussi des parents de personnes avec un handicap mental. Progressivement, j'ai découvert leur intense souffrance humaine et l'immensité du problème. Dans les salles d'hôpitaux, à cette époque, des centaines d'hommes et de femmes tournaient en rond, oisifs, le visage plein de désespoir mais qui s'allumait dès qu'on les regardait comme des personnes. Cela a bouleversé ma vie.

Dans un asile près de Paris, j'ai rencontré deux hommes qui avaient un handicap mental, Raphaël et Philippe. Petit, Raphaël avait eu une méningite qui l'avait laissé presque aphasique et son corps manquait d'équilibre. Philippe pouvait parler, mais à la suite d'une encéphalite il avait une jambe et un bras paralysés. Tous les deux, à la mort de leurs parents, avaient été mis dans cet asile, sans qu'on leur ait demandé leur avis. Ayant pu acheter une petite maison un peu délabrée dans le village de Trosly, et après avoir reçu toutes les autorisations nécessaires des autorités locales, j'ai invité Raphaël et Philippe à venir vivre avec moi.

C'est ainsi que l'aventure de l'Arche a commencé[1]. Nous vivions ensemble. Nous faisions tout en commun, la cuisine, le ménage, le jardin, des promenades, etc. Nous avons appris à nous connaître. Je prenais conscience de la profondeur de leurs souffrances et, en particulier, celle d'avoir toujours été ressentis comme une déception par leurs parents et leur entou-

---

1. J'ai appelé la communauté « l'Arche » en référence à l'Arche de Noé qui a sauvé la famille humaine des eaux. La communauté de l'Arche veut prendre à bord les personnes avec un handicap mental, si vite noyées dans les eaux de nos sociétés compétitives.

rage, de n'avoir jamais été appréciés ou reconnus comme ayant une valeur humaine. Je comprenais que leur grand désir était d'avoir des amis et de vivre comme les autres, selon leurs possibilités.

Il y avait partout des préjugés à leur égard. On les traitait avec distance, quelquefois avec pitié, mais le plus souvent avec mépris. Un vaste mur les séparait de ceux que l'on nomme d'un terme terrible : « les gens normaux ». Je me suis rendu compte des *a priori* que je gardais également en moi. Je ne les écoutais pas suffisamment. Peu à peu, j'ai compris qu'il fallait davantage respecter leur liberté et leurs choix.

Notre amitié s'est approfondie. Nous étions heureux d'être ensemble. Les repas étaient pleins de joie, c'étaient des instants à part, de vraies célébrations. Notre rythme de vie était simple. Il y avait le travail dans la maison et dans le jardin (par la suite, dans les ateliers), les repas, la détente et la prière. Raphaël et Philippe n'étaient plus pour moi des personnes avec un handicap, mais des amis. Ils me faisaient du bien, et je crois que je leur faisais du bien. Puis d'autres nous ont rejoints. Nous avons pu alors accueillir de nouvelles personnes avec un handicap mental. L'Arche a commencé à grandir.

Aujourd'hui, dans cette première communauté de Trosly, nous sommes près de quatre cents personnes : deux cents avec un handicap et deux cents assistants. Nous vivons ensemble dans une vingtaine de maisons de plusieurs villages ; nous travaillons dans le jardin et divers ateliers. Parmi les personnes avec un handicap mental, une trentaine vivent chez elles et viennent travailler avec nous. Les assistants sont des célibataires et des personnes mariées. La moitié d'entre eux environ est engagée d'une manière permanente ; les autres y viennent pour des périodes qui varient de trois mois à trois ans.

À partir de cette première communauté de Trosly, une centaine d'autres communautés de l'Arche sont nées dans vingt-six pays, sur les cinq continents. Nous adhérons tous à la même charte qui définit nos objectifs, l'esprit et le sens de notre vie communautaire. Nous vivons ensemble, personnes avec un handicap et assistants dans de petites maisons intégrées dans des villages ou un quartier d'une ville. Nous formons une nouvelle famille ; les forts aident les faibles et les faibles aident les forts.

En 1971, les communautés Foi et Lumière sont nées. Marie-Hélène Mathieu et moi-même, avec des amis, avons pu organiser un pèlerinage international à Lourdes pour des personnes avec un handicap mental, leurs parents et amis. Nous étions douze mille pèlerins. Ce fut une explosion de joie pour tous, surtout pour les nombreux parents qui vivaient douloureusement l'exclusion de leur fils ou leur fille. Foi et Lumière a pris l'organisation de ce pèlerinage en main. Aujourd'hui, dans soixante-dix pays, il y a plus de mille deux cent cinquante communautés de Foi et Lumière, chacune composée d'une trentaine de personnes : des personnes avec un handicap, leurs familles et des amis. Les membres de ces communautés ne vivent pas ensemble mais se retrouvent régulièrement une ou plusieurs fois par mois, pour échanger, autour de leurs souffrances et de leurs joies, vivre des fêtes et prier ensemble. Les communautés de l'Arche et celles de Foi et Lumière sont, d'une façon différente, centrées sur la personne avec un handicap, considérée comme une personne humaine à part entière, capable non seulement de recevoir des autres, mais également de donner aux autres.

Nous touchons là au paradoxe de l'Arche et de Foi et Lumière, paradoxe qui constitue le cœur de ce livre. Les personnes avec un handicap mental, si limi-

tées intellectuellement et manuellement, sont souvent
plus douées que les autres sur le plan du cœur et de
la relation. Leurs handicaps intellectuels sont
compensés par un surcroît de naïveté et de confiance
dans les autres. Ils sont étrangers à une certaine cor-
rection humaine. Ces êtres vivent plus près de l'essentiel. Dans nos sociétés compétitives qui mettent
l'accent sur la force et la valeur, ils ont beaucoup de
difficulté à trouver leur place et ils partent perdants
dans toutes les compétitions. En revanche, leur besoin
et leur goût de l'amitié, et de la communion des
cœurs, des personnes faibles peuvent toucher et transformer les forts, si ces derniers veulent bien entendre
cette voix venue d'en bas. Dans nos sociétés qui se
fragmentent et parfois se disloquent, dans les villes
d'acier, de verre et de solitude, ces handicapés forment comme un ciment qui peut lier les personnes
ensemble. On découvre alors leur place. Ils ont un
rôle à jouer dans la guérison des cœurs et dans la destruction des barrières qui séparent les êtres humains
et qui les empêchent de vivre heureux...

Pour reconnaître réellement cette place importante
et paradoxale des personnes avec un handicap, si souvent rejetées d'une façon dramatique, l'expérience me
semble nécessaire. Les paroles et les théories ne suffi-
sent pas, même les témoignages ont peu de poids. Ce
que j'avance peut paraître naïf, utopique, voire une
façon de compenser une vie difficile, de trouver un
sens à l'absurbe. Mais il ne s'agit pas de mots. C'est
ce que j'ai appris de la vie.

Cela ne veut pas dire que l'existence à l'Arche soit
simple et facile, loin de là ! Elle est parfois dure et
exigeante. Car il ne s'agit pas d'idéaliser les personnes
avec un handicap mental. Elles ont été victimes
durant leur vie de tant de mépris et de violences qui
ont été comme stockés en elles qu'elles peuvent, sur-

11

tout au début de leur vie communautaire à l'Arche, ressortir en explosions. Il se peut que des angoisses et des formes de dépression demeurent en elles toute leur vie, car il y a toujours des éléments de souffrance liés au handicap. S'il y a des moments exaltants, il y en a également de très pénibles.

Ces difficultés ont cependant leur côté positif. Elles révèlent, et elles m'ont révélé à moi comme aux autres nos propres limites, nos vulnérabilités, notre besoin de réussir et d'être reconnu, notre orgueil, nos blocages, tout ce que nous nous étions cachés à nous-même et aux autres avant d'arriver à l'Arche. Quand on vit en communauté avec une certaine intensité de vie relationnelle, on découvre vite qui on est. On ne peut plus rien cacher ! S'il existe dans le cœur de chacun une soif de communion et d'amitié, il y a également des blessures profondes, des peurs et tout un monde de ténèbres qui nous gouvernent d'une façon cachée. La connaissance de cette part d'ombre, puis son acceptation, constitue, me semble-t-il, un premier pas vers une vraie connaissance de soi.

À l'Arche, nous cherchons à redonner aux personnes avec un handicap leur humanité particulière, humanité qui leur a été comme volée. Il s'agit de créer un milieu chaleureux et familial où chaque personne puisse se développer selon ses possibilités, vivre le plus heureux possible et devenir lui-même.

Certains ont besoin d'être suivis par des psychologues et des psychiatres. Ils sont venus chez nous avec des troubles très profonds. Dès les débuts de l'Arche, j'ai trouvé des hommes et des femmes de valeur, qui m'ont aidé à réfléchir sur les besoins des personnes avec un handicap. J'ai été alors initié aux connaissances psychologiques et psychopathologiques d'une façon pragmatique. Cela m'a ouvert de nouveaux horizons.

Le père Thomas Philippe qui m'avait invité à Trosly en 1963, est resté au cœur de l'Arche durant vingt-huit ans. Prêtre, il a été parmi nous comme le représentant privilégié de Dieu, doux et humble, plein de compassion pour tous les membres de la communauté, surtout les plus faibles et les plus souffrants. Il était proche de chacun et le guide spirituel de beaucoup. Lui qui pendant de longues années avait été professeur de théologie et de philosophie avait saisi toute la vérité des paroles de saint Paul : « Dieu a choisi ce qu'il y a de fou dans le monde pour confondre les sages, ce qu'il y a de faible pour confondre les forts ; il a choisi ceux de plus basse naissance et les méprisés. » Les personnes avec un handicap mental, habituellement incapables de toute abstraction intellectuelle, sont souvent plus aptes à accueillir la présence d'un autre ; elles vivent davantage de la communion que de la compétition. Le père Thomas avait tout de suite saisi comment cette capacité cachée les rendait plus ouvertes à accueillir la présence du Dieu d'Amour.

La vie à l'Arche a été pour moi une expérience humaine et spirituelle profonde. Elle m'a fait découvrir comment l'Évangile est vraiment une bonne nouvelle pour les pauvres et comment la psychologie et la psychiatrie peuvent aider des personnes en difficulté à retrouver un équilibre, surtout si elles vivent dans un milieu vraiment humain.

Depuis 1980, je ne suis plus responsable de la communauté ; mon rôle a changé. Je vis toujours dans un foyer avec des personnes ayant un handicap mais je passe beaucoup de temps à accompagner des assistants, c'est-à-dire à les écouter et à les aider à trouver un sens à leur expérience. Si je n'ai pas lu beaucoup de livres de psychologie, j'ai appris à écouter les autres. Ma connaissance de l'être humain, son appel à la croissance pour « devenir lui-même » et dépasser ses peurs, s'est forgée à travers cette écoute.

Je consacre aussi du temps à aider les communautés de l'Arche et de Foi et Lumière à naître et à s'approfondir, dans les différents pays, surtout dans les pays les plus pauvres. Pour beaucoup, la vision de ces communautés est très nouvelle. Des parents sont bouleversés de découvrir que la vie de leur fils ou de leur fille avec un handicap a un sens, qu'ils ont leur place dans la société et qu'ils peuvent apporter quelque chose aux autres.

J'ai eu le privilège de connaître de nombreuses cultures, des religions différentes, de voir la beauté de chacune. Tout cela m'a aidé à découvrir le sens de notre humanité commune et la valeur de chaque personne humaine.

Ce livre veut livrer l'essentiel de ce que j'ai appris durant ces trente années. Il veut rester un livre d'anthropologie. Je suis disciple de Jésus et je cherche ainsi à mettre ma vie sous la lumière de l'Évangile. Né dans l'Église catholique, je suis nourri par elle, enraciné en elle, et j'aime cette Église. Je reconnais, bien sûr, ses limites qui sont les limites des personnes. Tous nous avons du mal à suivre Jésus d'une façon authentique.

J'ai pu aussi découvrir, à travers la vie communautaire de l'Arche et de Foi et Lumière, la beauté et la vérité qui se reflète dans des disciples de Jésus qui font partie d'autres Églises chrétiennes et dans des personnes appartenant à d'autres religions ou qui ne professent aucune religion. Nous appartenons tous à une humanité commune. C'est bien de cette dernière dont je veux parler, surtout à partir de ma propre expérience.

Ma formation philosophique à l'école d'Aristote m'a beaucoup aidé à mettre de l'ordre dans mes idées, à distinguer l'essentiel de l'accidentel ou du secondaire. Aristote aimait tout ce qui touche à l'humain Il m'a rendu attentif non pas d'abord aux idées mais a la réalité et à l'expérience. Mais je me sépare d'Aristote sur certains éléments de son anthropologie, lorsqu'il définit notamment l'être humain comme « un animal raisonnable », ce qui exclut de l'humain des personnes avec un handicap mental. J'aurais plutôt défini l'être humain comme quelqu'un capable d'aimer.

Le père Thomas était non seulement mon guide spirituel, mais aussi un maître sur le plan intellectuel. Il était enraciné dans la pensée de saint Thomas d'Aquin mais également très attentif aux sciences humaines. Deux psychiatres, le Dr Thompson et le Dr Préaut, lui avaient ouvert les yeux sur l'importance, en particulier, de la relation mère-enfant dans le développement de la vie affective de l'être humain. Le père Thomas considérait cette relation de communion, fondement de toute vie relationnelle, comme essentielle pour comprendre la vie de foi et la vie spirituelle. Il m'a aidé ainsi à mettre la communion au cœur de mon anthropologie [1].

J'entre dans la dernière partie de mon existence, c'est-à-dire la vieillesse. Ces Mémoires ne sont pas des Mémoires. Je ne puise pas dans mon existence de quoi nourrir un récit. Pour raconter une vie, il faudrait décrire d'innombrables journées semblables et distinctes par d'infimes décalages. Il faudrait imprimer sur le papier des visages. Et pourtant la vie n'y serait pas. Je préfère écrire, au plus près du sol, ce que la vie m'a appris et ce que je crois, pour servir ceux qui cherchent, qui souffrent et qui aiment.

---

1. Cf. ses livrets sur *Les Âges de la vie*, Saint Paul, Paris, 1994.

I

LES MURS

Quand j'ai rencontré pour la première fois les personnes avec un handicap mental, j'ai découvert la réalité des murs, des murs qui enferment, des murs qui empêchent la rencontre et le dialogue. Ces murs étaient d'abord ceux des hôpitaux psychiatriques et des institutions que j'ai visités. Raphaël et Philippe étaient tous les deux cachés derrière des murs épais. Je les ai invités à venir vivre avec moi dans cette petite maison que j'ai nommée l'Arche, dans le village de Trosly. Elle donnait directement sur la rue. Philippe et Raphaël faisaient peur à quelques habitants du village ou inspiraient une pitié malsaine à certains visiteurs. Parfois, on me considérait comme quelqu'un de « merveilleux » parce que je m'occupais de personnes « comme ça ». Plus mon amitié avec ces deux hommes grandissait, plus je me sentais blessé par de telles attitudes ou remarques. Progressivement, j'ai découvert comment notre société rejetait ces hommes et ces femmes avec un handicap mental, les considérant comme des ratés de la nature, des sous-humains. Il y avait comme un mur psychique qui ne permettait pas de les considérer comme des personnes humaines. Parfois je détectais ces murs à l'intérieur de moi-même, quand je n'arrivais pas à écouter Raphaël et Philippe.

En 1964, quand l'Arche a commencé, il y avait encore beaucoup de personnes avec un handicap mental cachées par leurs parents dans leurs maisons ; les voisins ignoraient leur existence. J'ai découvert un adolescent dans une ferme, enchaîné dans un garage ! Beaucoup étaient enfermés dans des hospices, des hôpitaux psychiatriques, des institutions sordides. Dans certains hôpitaux, on trouvait des salles lugubres où étaient entassés ceux qui étaient considérés comme des légumes.

Ces murs enfermaient aussi des parents qui se vivaient parfois comme des coupables, ou même punis par Dieu. Nombre d'entre eux se sentaient exclus de l'Église à cause de leur enfant : ils ne pouvaient plus aller à la messe car leurs enfants faisaient trop de bruit et dérangeaient. À cette époque, ces personnes étaient exclus de la communion eucharistique à cause de leur handicap. Elles étaient souvent appelées débiles. Elles faisaient partie d'un autre monde, un monde sans valeur humaine, un monde d'anormaux.

Un jour, un père est venu visiter son fils dans mon foyer. Au cours du repas, quelqu'un a fait remarquer au fils et au père : « Vous avez les mêmes yeux. » Le père, un industriel, a répondu du tac au tac sur un ton agressif : « Non, il a les yeux de sa mère. » Comme s'il disait : « Il n'y a rien de commun entre moi et lui. » Sa brutale remarque, spontanée et rapide, est entrée comme un dard dans le cœur de son fils qui a disparu de la pièce aussitôt le repas fini. Le père m'a demandé où il était. Il n'avait pas réalisé combien il avait fait mal à son fils. Je suis sûr qu'il croyait l'avoir bien accepté. En réalité, le père demeurait profondément blessé d'avoir eu un fils avec un handicap mental. Il n'arrivait pas à l'accepter et le ressentait comme une honte personnelle.

Un autre jour, un homme triste, très normal, est

venu me voir. Il était assis dans mon bureau, me racontant ses déboires et ses difficultés familiales, professionnelles, financières... Quelqu'un frappe à ma porte et avant même que j'aie le temps de répondre, entre Jean-Claude. Certains disent que Jean-Claude est mongolien, d'autres trisomique 21 ; pour nous, il est Jean-Claude. C'est un homme détendu, heureux, riant (même s'il n'aime pas beaucoup travailler). Il prend ma main et me dit bonjour. Puis il prend la main de « Monsieur Normal », lui dit bonjour et part en riant. « Monsieur Normal » se tourne alors vers moi et me dit : « Qu'est-ce que c'est triste des enfants comme cela. » En réalité, ce qui était triste, c'était que « Monsieur Normal » était aveuglé par ses propres préjugés et sa propre tristesse. Il semblait incapable de voir la beauté, le rire et la joie de Jean-Claude. Il y avait comme un mur psychique entre eux.

Bien sûr, il y a des cultures plus ouvertes aux faibles. Mais j'ai rencontré beaucoup de cultures méprisantes où le faible est moqué, rejeté, abusé, maltraité ; on le fuit ou parfois on le laisse mourir. J'ai vu des hospices épouvantables, infestés de rats ; des hommes et des femmes à moitié nus, tournaient en rond, le regard triste à mourir ; des centres cachés loin de la ville, presque inaccessibles aux familles. Des murs derrière lesquels on cache les indésirables. J'ai vu dans des centres psychiatriques des salles fermées à clé, où une trentaine d'hommes tout nus attendaient la mort.

Les personnes avec un handicap mental, et surtout celles qui ont un lourd handicap, sont parmi les plus grands exclus de nos sociétés. La France a voté une loi contre l'exclusion des personnes avec un handicap. Excellente initiative. Mais la France a également promulgué une loi qui autorise l'avortement d'un enfant pendant toute la durée de la grossesse de la mère, si on a diagnostiqué un handicap chez le tout-petit à naître. Pour les autres, l'avortement n'est permis que pendant les premières quinze semaines qui suivent sa conception. À l'école, pour insulter un camarade on l'appelle « gogole » ; la plupart des jeunes filles ne supportent pas l'idée d'être enceinte « d'un monstre » (ce mot est souvent utilisé), et affirment leur détermination à se faire avorter. Parmi les plus jeunes, je rencontre un rejet croissant des personnes avec un handicap, malgré le fait que d'autres jeunes s'engagent réellement à leurs côtés. Plus les faibles sont pris en charge par la société, et plus leur contact fait peur.

Dans certains pays, on a vu la création d'écoles spécialisées ou parfois d'écoles intégrées, d'ateliers pour des personnes avec un handicap. On cherche à vider les grandes institutions et les hôpitaux psychiatriques. Cependant, ces personnes dites réinsérées se retrouvent souvent seules, perdues dans les grandes villes, enfermées dans leur tristesse, sans communauté humaine. Les murs physiques ont disparu ; les murs psychiques demeurent.

Ces murs bâtis autour des personnes avec un handicap ne sont que les plus visibles de ceux que nous édifions en permanence pour nous séparer les uns des autres.

Le mur entre forts et faibles

Ainsi, la faiblesse fait peur. N'est-ce pas le drame de tant de vieillards qui sentent leurs forces diminuer ? Alors montent en eux la colère, la révolte et la dépression. Ils ne sont plus des personnes qui attirent par leur charme et leur joie de vivre. Au contraire, leur dépression rend pénibles les rencontres. Leurs enfants ont du mal à venir les voir car ils critiquent tout et sont parfois violents envers eux. Les personnes âgées se rendent compte de leur agressivité, de leur manque de joie et de paix. Ce constat ne fait qu'augmenter leur dépression : « Je suis un poids pour mes enfants. » Elles n'ont plus de raisons de vivre et elles risquent de s'enfermer dans la tristesse, de devenir acariâtres.

Le passage de la force et des capacités actives à la faiblesse et à l'incapacité n'est pas facile à faire. Nous en reparlerons plus loin dans le chapitre sur les âges de la vie. Ce passage implique des changements très importants sur le plan humain et il est d'autant plus difficile à gérer que toute sa vie on a voulu paraître fort, avoir une place active et intéressante, être reconnu, monter en grade, s'élever dans l'échelle sociale. La faiblesse apparaît alors comme une déchéance. Ne plus avoir de place ou d'activité reconnues creuse un vide au fond de l'être. Ce vide laisse percer l'angoisse et le manque de confiance en soi. Naît alors la culpabilité : « Je ne suis bon à rien. » Du haut du piédestal et de la réussite, on tombe vite dans les abîmes. De l'exaltation et de la suffisance, on s'engouffre vite dans les affres de la dépression, de la révolte, du désespoir, avec son image intérieure blessée.

N'est-ce pas la raison pour laquelle, dans nos sociétés, où souvent la force et la réussite sont perçues comme des valeurs suprêmes, on est obligé de créer tant de maisons et d'hospices pour les personnes âgées ? On ne peut pas les garder chez soi : elles dérangent. Souvent les familles n'ont pas l'espace nécessaire ou ne veulent pas le créer. Certaines de ces maisons ou institutions pour vieillards sont lugubres ; il y a peu d'animation ; les pensionnaires s'ennuient à mourir ; il n'y a pas d'activités organisées ; elles ont peu de visites. Dans les pays plus pauvres, les vieillards sont considérés comme des anciens à ne pas négliger car ils possèdent l'histoire, ils sont l'histoire. Ils ont donc une dignité particulière qui appelle le respect. Dans les pays industrialisés, les vieillards ont perdu leur dignité et leur rôle ; ils gênent, ils ne sont plus créateurs de richesses matérielles.

Dans nos sociétés riches, un mur se dresse entre forts et faibles. Tous ceux qui sont dans le besoin, sont vus d'abord sous l'angle économique. Ils sont pris en charge par des professionnels, des assistants ou travailleurs sociaux, des éducateurs, etc. C'est alors que les citoyens, individuellement ou collectivement, ne se sentent plus responsables des personnes faibles de leurs propres familles ou de leur entourage. Ils se déchargent de leurs responsabilités sur l'État. Bien sûr, l'État s'appuie sur des associations privées ; il encourage le bénévolat, mais, d'une certaine façon, le sentiment de solidarité se perd. Et, puisque les soins des faibles coûtent chers, arrive le temps, en période de crise économique, où le système ne fonctionne plus. Les faibles sont un poids insurmontables ; il faut les éliminer. Ils sont un poids qui empêche la réalisation d'autres projets plus intéressants.

Le mur de peur autour de la mort

Ma sœur, Thérèse, a travaillé comme médecin pendant vingt-cinq ans dans le service des soins palliatifs de l'hospice St. Christopher à Londres. Elle m'a révélé le drame de nombreux mourants dans les hôpitaux, drame qui avait incité Cecily Saunders a créer l'hospice St. Christopher. En effet, quand un malade atteint une phase terminale, il arrive un moment où il n'y a plus rien à faire sur le plan médical : des organes vitaux sont irrémédiablement atteints. Le cancer s'est généralisé et rien ne peut empêcher sa croissance. Les médecins des hôpitaux sont démunis devant de telles situations ; ils prescrivent souvent des doses importantes de morphine qui évitent la douleur, mais qui rendent le malade pratiquement inconscient. Cecily Saunders avait réagi devant cette situation. Elle pensait que la fin de la vie d'une personne était un moment très important et qu'il fallait chercher les moyens de contrôler la souffrance pour aider la personne à être le mieux possible et à mourir avec le minimum de douleur, tout en étant pleinement consciente. Elle pensait qu'il fallait aussi soutenir la famille et les amis, les aider à parler avec le malade durant les dernières heures, dans la vérité, sans se cacher derrière des illusions et de faux espoirs. La plupart des gens ont peur de la mort et ils ne veulent pas en parler. En somme, il faut la cacher.

Ce refus de la mort existe particulièrement en Amérique où les corps sont emmenés sans délai dans une salle funéraire où on les embellit. On n'a plus le droit de garder le corps à la maison. Heureusement, dans d'autres pays ce n'est pas le cas ; on peut encore veiller et prier autour du corps pendant quelques jours, parler du défunt et intégrer la réalité de la mort à la maison.

Dans des pays plus pauvres, la mort est une réalité de la vie quotidienne ; elle ne peut pas être cachée. Naître et mourir font partie de la réalité humaine, alors que dans des sociétés plus sophistiquées, on essaie de cacher la mort. Elle constitue toujours un accident ou une maladie pour lesquels on n'a pas encore trouvé de remède. C'est comme si la mort était une erreur ; elle ne devrait pas exister. On met un mur entre la mort et la vie. Freud disait que celui qui veut vivre doit intégrer la mort dans sa vie. On ne peut pas vivre si, consciemment ou inconsciemment, on est paralysé par la peur de la mort.

Les murs des prisons

Durant les années soixante-dix, j'étais souvent invité à parler aux hommes, et parfois aux femmes, incarcérés dans des prisons au Canada. Dans une prison de l'Ouest, j'ai même pu faire une retraite. Je logeais dans la prison et j'avais ma propre cellule. Le soir, à travers les barreaux, je regardais la lune et le firmament ; je me sentais solidaire de tant d'hommes et de femmes emprisonnés à travers le monde ! Durant cette retraite, on m'a invité à passer une soirée dans le « Club 21 », le club des hommes qui étaient condamnés pour meurtre à vingt et un ans de prison ou plus. Un grand nombre d'entre eux m'a parlé de ce qui s'était passé. Je prenais conscience que si j'étais né dans une autre famille, avec une autre éducation et mis dans des situations pareilles, j'aurais pu faire la même chose qu'eux. Eux étaient là, dans un monde sans tendresse, un monde qui incite à l'angoisse, à la violence, entouré d'un vaste mur. D'un côté, les condamnés, de l'autre, les justes, qui souvent jugent sévèrement l'homme en prison. Beaucoup d'entre eux ont été condamnés pratiquement depuis leur petite enfance ; ils venaient de familles désunies et violentes, dans des situations de misère et de chômage ; beaucoup étaient des Amérindiens, natifs du pays, qui ne parvenaient plus à trouver une place dans cette société occidentale si différente de leur culture et qui s'est installée sur leur terre.

Dans une autre prison au Canada, j'avais donné une conférence sur les personnes accueillies à l'Arche qui ont souffert du rejet, qui ont une image blessée d'elles-mêmes. En parlant de ces personnes, je savais que je racontais l'histoire de nombre de ces détenus. À la fin de ma conférence, un homme s'est levé et a commencé à hurler contre moi : « Tu as eu la vie facile. Tu ne connais rien de nos vies. À quatre ans, j'ai vu ma mère violée devant moi. À sept ans, mon père m'a vendu en homosexualité pour avoir de l'argent pour boire. A treize ans, les hommes en bleu (la police) sont venus me chercher. » Et il a terminé en criant : « Si un autre homme entre dans la prison et nous parle de l'amour, je lui donnerai des coups de pied dans la tête ! »

Je demeure étonné par la ressemblance entre les personnes en prison et celles ayant un handicap mental. Ils se trouvent souvent dans des institutions, derrière des murs et des portes fermées à clé pour contrôler les entrées et les sorties. La plupart de ces personnes n'ont pas connu une vie de famille harmonieuse, chaude, sécurisante. Durant toute leur existence elles portent les stigmates de leur état. C'est ainsi que naissent dans leur cœur les blessures profondes qui amènent certaines à être agressives et violentes, d'autres à être dépressives, fermées sur elles-mêmes, avec des tendances autodestructives, leur violence tournée contre elles-mêmes.

Le mur autour des camps de réfugiés

Il y a quelque temps, j'ai visité la Slovénie, ce petit pays de l'ex-Yougoslavie, d'environ deux millions d'habitants : un pays sous bien des aspects homogène, devenu indépendant en 1992. Avec courage, le gouvernement a accueilli des dizaines de milliers de réfugiés de Bosnie. J'ai pu visiter l'un de ces camps de réfugiés, une petite enceinte d'une centaine de personnes, à majorité musulmane. Ils n'avaient rien à faire toute la journée, sauf s'asseoir et parler entre eux. Une école pour les petits, mais rien pour les adolescents. L'oisiveté totale. La nourriture leur parvenait de la ville, toute préparée, toute cuite. Une des familles m'a fait entrer chez elle : une chambre dans une baraque en bois. Je leur ai demandé s'ils avaient de l'espérance. « Non, m'ont-ils répondu, notre village a été totalement détruit. Nous n'y retournerons jamais car nous avons tout perdu. » J'ai été impressionné par le désintérêt de la population locale pour ces réfugiés. Il n'y avait pas de murs physiques entre le camp et leur vie, mais un grand mur psychologique. C'était comme si les gens autour ne voulaient pas connaître cette réalité. S'ils commençaient à entrer en relation avec ces réfugiés, à entendre leur histoire et leur situation, ils seraient alors amenés à réagir, à faire quelque chose, à leur chercher du travail, au moins à rendre leur vie plus humaine. Cela nécessiterait des ressources humaines et financières. Il valait mieux ignorer leur situation. Et, « de toute façon », m'a-t-on dit, « comme ils sont musulmans, ils ne pourront jamais s'intégrer dans notre culture ». Certaines situations paraissent trop inextricables. Si on y met le petit doigt, on risque d'y passer tout entier. Il vaut mieux laisser les pauvres dans leur misère. Je parle de ce camp en Slovénie, mais la même chose se passe d'une certaine manière dans chacun de nos pays.

Les murs entre peuples, races et nations

En 1982, une communauté de l'Arche a été créée parmi les Palestiniens, dans les territoires occupés. Nous avons trouvé une petite maison appartenant à Ali et Fatma, pas trop loin de la mosquée de Béthanie.

Là, nous avons accueilli Rula, puis Ghadir, puis d'autres avec un handicap mental. Durant une de mes visites à cette communauté, j'ai pris conscience d'une façon brutale du conflit entre Israéliens et Palestiniens, du mur épais et apparemment infranchissable entre ces deux peuples. Mur de peur et de haine. Quand j'ai visité un ami juif de Jérusalem, il m'a demandé si je n'avais pas peur de vivre parmi les Palestiniens. Il avait une vision totalement déformée de ce peuple. Comme si, pour lui, chaque Palestinien était une brute dangereuse, un terroriste prêt à tuer tout le monde. Pour les uns, un terroriste est un criminel ; pour les autres, c'est un combattant courageux de la libération. Si un jour les combattants de la libération prennent le pouvoir et se trouvent dans la légalité, d'autres les combattront et deviendront alors terroristes et criminels.

Depuis le toit de la maison d'Ali, le soir, nous pouvions voir les soldats israéliens sur les toits des maisons voisines scrutant attentivement les alentours. Ils créaient ainsi une ambiance de peur. C'étaient de jeunes soldats ; eux aussi avaient peur. Beaucoup de nos jeunes voisins, palestiniens étaient en prison ; certains ne savaient pas pourquoi. Les conditions de vie dans les prisons étaient intolérables. Il y a un immense mur entre ces deux peuples. Depuis, un processus de paix a été entamé. Peut-être une cohabitation sera-t-elle un jour possible ?

En 1991, je suis allé à Auschwitz accompagner quelques jeunes hommes et femmes qui me l'avaient demandé. Nous avons marché à travers le camp numéro 2, destiné en particulier à l'extermination du peuple juif. Il y avait encore les baraques où des hommes et des femmes juifs, réduits à l'état de squelette, avaient attendu qu'on les traîne vers les chambres à gaz. Leurs corps avaient été ensuite brûlés dans les fours crématoires et leurs cendres dispersées sur le gazon. Des centaines de milliers d'hommes et de femmes ont été tués dans ce camp, martyrs de leur race. Le pire reste que les nazis ont proclamé cette œuvre de mort comme une mission de libération pour l'humanité. Avec mes compagnons, nous avons marché en silence, demandant à Dieu d'ôter de nos cœurs tous nos préjugés et nos capacités de faire du mal à un autre, spécialement au différent et au faible. L'être humain s'enferme si vite dans la haine, la peur, le mensonge, refusant de regarder et d'accepter le réel !

En Bosnie aujourd'hui, un feu de haine est allumé entre les Serbes, les Croates et les musulmans. Là où des hommes et des femmes de différentes races et religions vivaient ensemble plus ou moins paisiblement, sévit une guerre civile d'une cruauté épouvantable. Les hommes se comportent comme des bêtes sauvages, fous de haine et de désirs de vengeance, motivés par la peur et l'angoisse, incapables d'arrêter les massacres d'innocents dans un vertige de sang.

Je demeure horrifié par les massacres au Rwanda. J'étais dans ce pays, quelques mois auparavant, pour vivre avec les communautés de Foi et Lumière. Aujourd'hui, nombre de mes amis rwandais sont morts, emportés comme des fétus de paille sur l'océan des passions humaines. Tuer l'autre parce qu'il est différent, c'est vouloir tuer la part de ténèbres que chacun porte en soi.

Parmi les murs les plus terribles, notre siècle a connu le « rideau de fer », un mur qui enfermait solidement tous les pays sous la domination de l'ex-URSS. Derrière le rideau de fer, une vaste machine policière empêchait les gens de communiquer librement entre eux, une machine de propagande, de mensonge, cherchait à prouver que seul le communisme était juste et amenait au bonheur. Seul ce qui allait dans le sens du régime était vrai ; ce qui n'était pas en harmonie avec le régime était faux. La réalité a fait tomber ce mur, mais pendant de longues années il est demeuré, confinant les gens dans la peur.

Jérusalem, cité de Dieu et cité des murs de haine

La ville de Jérusalem fait mal. C'est une ville remplie de certitudes. Les juifs savent qu'ils sont le peuple élu, les élus de Yahvé. Les musulmans savent qu'ils sont les bénis d'Allah. Les chrétiens savent qu'ils sont les choisis de Jésus, le Sauveur du monde. Mais ce n'est pas si simple que cela. Parmi les juifs, il y a ceux qui sont plus orthodoxes et ceux qui sont plus libéraux ; parmi les musulmans, il y a des chiites, les sunnites et d'autres groupes qui descendent du Prophète ; parmi les chrétiens, il y a les luthériens, les anglicans, les catholiques, les orthodoxes, les baptistes, les méthodistes, les pentecôtistes, etc. ! Chaque groupe est certain de posséder la vérité religieuse, l'unique révélation de Dieu. Y a-t-il donc plusieurs dieux ? Ou bien Dieu est-il divisé en Lui-Même ? Jérusalem, cité de Dieu, cité de l'amour, est devenue la cité de la division et de la haine. Les murs de Jérusalem sont beaux mais terribles. Rien d'étonnant alors que beaucoup tendent à rejeter toute religion, voyant en elle une source de haine, de guerre et de mépris des autres. Même ceux qui n'ont pas de religion, ou qui militent contre la religion, sont parfois sûrs que ce sont eux les vrais éclairés, car, pensent-ils, c'est la religion qui est à l'origine de tous les conflits dans le monde.

Chaque Église crie sa vérité et sait qu'elle a raison. Toutes les Églises chrétiennes ont Jésus pour Seigneur, mais parfois il semble qu'il y ait autant de Jésus que d'Églises ! Je me souviens, une fois, quand j'étais dans la toute petite chapelle sous la basilique de la Nativité à Bethléem. Un prêtre orthodoxe disait la messe. Je priais là avec des pèlerins orthodoxes. À un moment, on passe un plateau avec des pains bénis (pas la communion). Quelqu'un me l'offre, mais un autre crie : « Non, pas lui. Il est catholique. » Je sentais des vibrations de tension. Un peu plus tard, à l'insu des autres, une femme s'est approchée de moi et avec beaucoup de bonté, a partagé son pain béni avec moi. Elle m'a beaucoup touché. Et combien de protestants ont souffert en se voyant refuser la communion au cours d'une eucharistie catholique, sans explication ?

Des divisions existent aussi à l'intérieur de chaque Église et de chaque religion. Il y a toujours ceux qui sont épris de la rectitude et de l'intégrité de la foi, qui veulent à tout prix sauvegarder la tradition et ses rites, l'identité de la religion, les certitudes de la morale. Puis il y a ceux, plus ouverts, plus tolérants, qui voient l'importance du contact et de la communication avec ceux qui n'ont pas la même foi et qui trouvent en eux une valeur et une lumière réelles. Les premiers voient leur religion comme une forteresse : les bons sont dedans, les mauvais dehors ; l'autorité est souveraine. Les seconds voient davantage la religion comme une source qui irrigue l'humanité, mais leur ouverture et leur écoute peuvent aussi amener une dissolution progressive de la foi. Ces deux tendances, qui peuvent paraître irréconciliables dans le cœur des êtres humains, relèvent non seulement de la formation spirituelle et théologique, mais aussi de la psychologie des personnes. Il y a ceux qui ont un caractère rigide, figé, conservateur, plus insécurisé ; il y en a d'autres plus ouverts, qui aiment le risque, voire le flou ou le nébuleux, et qui ont peur de l'autorité. Chacun de ces extrêmes se sait dans la vérité et voit l'autre comme une menace. Chacun se croit l'élite. Les luttes entre ces extrêmes ont produit des catastrophes dans l'histoire, aboutissant à des condamnations, des excommunications, des emprisonnements et des morts sur le bûcher. Un pasteur pentecôtiste de Moscou m'a dit : « Quand nous étions en prison (chrétiens de confessions différentes) nous étions unis. Mais maintenant que nous sommes en liberté, nous ne nous parlons plus ; d'autres murs se dressent entre nous. Nous avons appris à vivre ensemble en prison, mais nous ne savons pas comment gérer la liberté. »

En 1974, j'ai organisé une retraite œcuménique à Belfast, en Irlande du Nord : une trentaine de catholiques et une trentaine de protestants y participaient. Aucun des catholiques n'avait parlé jusqu'alors à un protestant et vice versa. Entre les uns et les autres, se dressait un vaste mur de préjugés, d'incompréhension, d'ignorance. Chaque groupe était enfermé dans son quartier de la ville ; évitant tout contact et tout dialogue avec l'autre. Chaque groupe avait ses certitudes, ses moyens d'information et de justification. L'autre était forcément mauvais, dangereux ; rien de bon ne pouvait venir de lui. Il ne fallait même pas discuter avec lui car « il chercherait à nous avoir ». La peur, la peur excitée par les informations fausses, par les mensonges, manipulée par la haine et par un petit groupe assoiffé de pouvoir, sépare des peuples, des groupes, crée des murs de préjugés. Des atrocités provoquent d'autres atrocités ; la vengeance appelle la vengeance. Une spirale de haine.

Les murs entre riches et pauvres

Il y a quelque temps, j'étais dans le métro à Paris. Un homme est entré dans le wagon et s'est mis à crier : « Donnez-moi de l'argent. J'ai besoin d'argent. Si vous ne me donnez pas d'argent, je vais faire une bêtise. » J'avais le dos tourné à cet homme ; je regardais les voyageurs en face de moi qui s'enfonçaient davantage dans leurs journaux ou dans leurs livres. Ils ne voulaient pas entendre le cri de cet homme. Ils avaient peur de lui et faisaient comme s'ils ne le voyaient pas, ne l'entendaient pas. Il y a toujours une certaine gêne en face du mendiant ou du pauvre qui crie. C'est pour cela qu'on se justifie : « Il ne faut pas lui donner de l'argent car il va simplement l'utiliser pour boire ou pour acheter de la drogue. » C'était sûrement cette même peur qui habitait le cœur du prêtre et du lévite dans la parabole de Jésus qu'on appelle la parabole du bon Samaritain[1] : un homme a été attaqué et roué de coups par des bandits, quelque part entre Jérusalem et Jéricho. Ils l'ont laissé à moitié mort. Un prêtre puis un lévite sont passés par là ; ils l'ont vu, mais ils ont continué leur chemin ; ils avaient peur de s'arrêter. Un Samaritain est passé par là aussi, lui s'est arrêté et s'est occupé de cet homme (à l'époque du Christ, les samaritains étaient rejetés par les juifs orthodoxes comme des schismatiques).

Nous avons tous peur du pauvre qui crie, peur en face de l'homme roué de coups et qui gît à terre. Si on s'arrête, on va perdre quelque chose : du temps, de l'argent, et peut-être plus ; on va peut-être nous accuser de l'avoir fait... Alors on se justifie en disant : « Je n'ai pas le temps, et puis je ne peux pas donner à tout le monde, et de toute façon ils reçoivent ce qu'ils

---

1. Évangile selon saint Luc, 10,29.

méritent », etc. Nous ne voulons pas nous salir les mains. Peut-être plus profondément, savons-nous confusément que le pauvre recherche la solidarité, l'amitié et la communion. Mais nous, nous sommes pauvres en capacité d'aimer et en désir de changer. Un mur se dresse ainsi entre ceux qui sont bien insérés dans la société et ceux qui sont mis à l'écart, les marginaux.

Jésus décrit cette situation dans une autre parabole [1], celle de Lazare et de l'homme riche. Lazare, un mendiant affamé, les jambes couvertes d'ulcères, aurait tellement voulu manger les miettes qui tombaient de la table du riche. Celui-ci, dans sa maison en face, faisait la fête avec ses amis ; les chiens mangeaient les miettes. Un jour Lazare meurt ; il va dans le sein d'Abraham, le lieu de la paix et du bonheur. Puis le riche meurt à son tour et va dans le lieu des tourments. De là, il crie vers Abraham : « Père Abraham, envoie Lazare mettre un peu d'eau fraîche sur mes lèvres car je souffre terriblement. » Et Abraham répond : « C'est impossible, car il y a un abîme entre toi et lui ; il ne pourrait passer. » Cet abîme psychologique entre Lazare et le riche durant leur vie continue d'exister après leur mort. Le riche ne pouvait pas voir Lazare quand il mendiait ; il ne le voyait pas comme un être humain, un frère, faisant partie d'une humanité commune.

Dans l'hindouisme, on trouve une conception fataliste de la société : on est né dans une caste et on ne peut en sortir ; chacun a sa place dans la hiérarchie de l'humanité. C'est une façon de justifier une situation d'injustice et de pauvreté. On trouve quelque chose d'analogue dans la pensée grecque, notamment chez

---

1. *Ibid.*, 16, 19.

Aristote. Des sortes de murs sont créés entre les maîtres et les esclaves ; c'est l'ordre de la nature, dit-on. Il faut laisser subsister cette situation, sinon on risque de créer un désordre.

Dès qu'on accepte l'idée que chaque être humain est une histoire sacrée, que chaque personne a des droits et des responsabilités, ce mur entre riches et pauvres, ce mur qui sépare et opprime, devient intolérable. C'est ainsi qu'en certains pays d'Amérique latine et d'Asie, le cri des paysans sans terre, sans droits, s'élève contre les quelques familles qui possèdent la majorité des terres. En Amérique du Nord, en Australie, les peuples autochtones protestent contre ceux qui sont venus s'approprier leurs terres, qui les ont opprimés, les ont considérés comme inférieurs.

Autour du lac Michigan, sur lequel est situé la ville de Chicago, il y a la « Gold Coast », la Côte d'Or. Ce sont des buildings super luxueux, le quartier des gens les plus fortunés de la ville. Mais, à quelques rues de là, à l'intérieur de la ville, on trouve le quartier du peuple noir, des maisons délabrées, des rues sales : un monde brisé, un monde de violence. Entre les quartiers riches et le ghetto noir, il y a comme un mur épais. Les gens des deux quartiers ne peuvent communiquer entre eux. La peur les en empêche. Les riches ont le pouvoir et la police ; ils ont peur de ce monde de pauvreté ; peut-être se sentent-ils coupables de leur richesse ? Les pauvres sont souvent dans un monde de dépression et de colère. Les riches semblent être des bénis de Dieu, et eux des maudits, abandonnés à la violence, à la misère et à la mort.

À notre époque, dans tous les pays, grandit la souffrance terrible des chômeurs, ces hommes et ces femmes qui perdent parfois toute confiance en eux-mêmes, en leur capacité d'êtres humains. Ils s'ennuient. Ils vont parfois d'échec en échec, de rejet en rejet. Devant leurs enfants ils ont honte d'être eux-mêmes. Un mur de tristesse les enveloppe.

Il est dit dans les psaumes (livre de la Bible) que Dieu entend le cri du pauvre. Nous, êtres humains, nous avons terriblement peur de ce cri qui dérange notre confort, notre sécurité, notre bien-être. Nous évitons les pauvres ; nous ne voulons pas les regarder. Un responsable dans un pays d'Afrique m'a dit quand je lui ai expliqué ce qu'était l'Arche : « C'est bon que vous veniez dans notre pays. Il faut que vous retiriez les fous des rues de la ville. » Le pauvre gêne, dérange. Il éveille en nous des sentiments ambivalents de pitié, de colère, de malaise intérieur et peut-être une certaine culpabilité plus ou moins avouée. Le pauvre révèle notre égoïsme, notre pauvreté humaine, nos refus d'être solidaires. Ce n'est pas étonnant que le riche se défende et cherche à cacher les pauvres derrière des murs.

Le mur de la compétition : être le meilleur

À l'école, comme partout dans la culture occidentale, on m'a incité à être le premier. Il faut être le meilleur dans les études comme dans les sports. Dans la marine, il fallait que je m'efforce d'exceller, d'être apprécié des supérieurs, de toujours gagner et réussir, de recevoir l'admiration et la promotion qui amène les privilèges et un salaire plus élevé. Chaque individu est responsable de son propre succès.

Certes, la compétition présente des avantages : le désir (le besoin) d'être le premier incite à faire des efforts, à aller jusqu'au bout de ses forces. Cela permet de lutter contre la paresse ou un certain laisser-aller. La compétition éveille des énergies ; elle favorise le développement du potentiel de l'être humain et, par le fait même, du potentiel de toute la société et de toute l'humanité. Mais si quelques-uns gagnent, le plus grand nombre perd. La culture incite alors à mépriser ou à rejeter ceux qui ne réussissent pas, qui ne peuvent réussir. La force, la capacité et l'excellence deviennent les seules valeurs. Celui qui ne peut réussir n'a pas de valeur ; il est écarté. Il développe alors une image blessée de lui-même, il se décourage et se sent incapable, impuissant, dévalorisé.

Aristote dit que lorsqu'un être ne se sent pas aimé, il a besoin de se faire admirer. Si l'on n'est ni aimé ni admiré, c'est comme si l'on mourait. L'être humain a besoin des yeux des autres, ceux qui apprécient, qui aiment, qui admirent, qui confirment. Si ces yeux-là font défaut, ou s'ils vous méprisent, ont peur, vous rejettent, ou ne vous regardent pas (comme si on n'existait pas), alors c'est le vide, l'angoisse et la dépression. On est prêt à tout pour trouver un regard qui nous confirme et nous donne une valeur.

Un ami prêtre, aumônier de prison, m'a parlé d'un détenu qui, un jour, lui a demandé : « Tu aimes dire la messe ? Tu la dis bien ? Tu aimes prêcher ? Tu prêches bien ? » Mon ami lui avait répondu par l'affirmative, un peu gêné quand même par toutes ces questions. Alors le détenu lui a dit : « Eh bien moi, je suis le meilleur voleur de voitures à Cleveland, et j'aime ça ! » Si on n'est pas aimé et admiré pour ses forces de bien, on cherchera à être admiré pour ses forces de destruction, même de haine. Le besoin d'être le plus fort et le meilleur aux yeux de quelques autres est si puissant dans le cœur humain ! C'est une question de vie ou de mort.

Il y a le désir de gagner personnellement un prix. Il y a aussi le désir que le groupe auquel on appartient gagne. Pour être convaincu, il suffit de voir avec quelle ardeur certains hommes regardent à la télévision un match de rugby ou de football ! Ils crient, ils applaudissent, ils pleurent, ils vivent mille émotions en voyant leur équipe se jeter sur ce malheureux morceau de cuir rempli d'air, pour gagner ou pour perdre. Les compétitions sportives sont parfois d'une beauté exceptionnelle ; il y a une excellence superbe. Bien souvent, cependant, on cherche non pas la beauté mais l'identification au groupe qui gagne.

Un jour, je marchais avec Nadine dans les rues de Tegucigalpa, au Honduras. Soudainement, tout le monde dans la rue paraissaient devenir fou, ils sautaient en l'air, hurlant de joie, s'embrassant. Nous ne comprenions rien. Puis Nadine m'a rappelé que le Honduras jouait au foot contre le Guatemala ; tous ces gens surexcités écoutaient le match avec leur baladeur !

Plus on manque d'identité personnelle, plus on manque de réussite personnelle, plus on s'enfonce dans l'échec, plus on a besoin de s'identifier à un groupe, à une classe sociale, à un pays, à une race ou à une religion qui gagne. L'amour de la nation, de la race ou de la religion peut devenir une puissance colossale pour éveiller les énergies des individus et les jeter dans la lutte, les inciter à utiliser toutes leurs forces pour que le groupe d'appartenance gagne et l'emporte sur autrui.

Le besoin de gagner et de réussir peut être aussi lié au désir d'avoir une fonction qui apporte des privilèges, d'exercer le pouvoir, d'imposer sa volonté à autrui. Ainsi certains exercent le pouvoir dans le seul désir de montrer leur supériorité. Pour avoir le sentiment de vivre, ils ont besoin que leur puissance soit clairement signifiée. Ils exercent le pouvoir en criant, en refusant toute permission ou en n'accordant des permissions que pour être populaire. Ils l'exercent non pas pour le bien, l'épanouissement et la croissance des autres, mais pour leur propre gloire. C'est un des dangers qui guette ceux qui veulent travailler avec les faibles : le besoin de se sentir supérieur, d'imposer son plan, sa vision, sa liberté, sa supériorité.

Le besoin de gagner est tel, en général, que des petits désaccords peuvent dégénérer en querelle âpres et futiles. Combien de discussions hargneuses pour prouver qu'on a raison et ce pour des choses insignifiantes ! Combien de disputes entre un mari et sa femme pour montrer que « j'ai raison, toi, tu as tort ! ». Se sentir impuissant, avoir tort, ne pas réussir, donne un sentiment de mort. Parfois on est prêt à tricher, à mentir, à utiliser toutes sortes de moyens injustes et illégaux pour avoir le pouvoir, pour exercer de l'influence, pour être reconnu et considéré.

Cette façon de tricher et de mentir pour prendre le pouvoir et le conserver à tout prix est particulièrement manifeste dans la vie politique qui dégénère vite en une lutte et une compétition entre partis et candidats pour le pouvoir lui-même. On cherche à tromper tout le monde, à paraître ce qu'il faut pour obtenir ou pour conserver ce pouvoir. C'est pour cela que ceux qui ont le pouvoir deviennent inaccessibles ; ils se cachent derrière des secrétaires, des chefs de cabinet, des gens qui les protègent, parfois pour cacher leurs incompétences, leur pauvreté humaine, leur incapacité d'être à l'écoute ou d'utiliser le pouvoir pour servir les autres selon un but fixé.

Pour certains, le besoin d'avoir du pouvoir semble illimité. On veut étendre son empire, sa zone d'influence. Les dictateurs, les chefs de la mafia sont des exemples les plus évidents de ce désir effréné de commander, d'être comme Dieu et de ne se soumettre à quiconque. Chez beaucoup d'êtres humains se cache un petit dictateur. Peut-être n'exercent-ils le pouvoir que sur un groupe restreint, sur leurs propres employés, leur femme, leur mari, leurs enfants, mais le dictateur est là, prêt à jaillir pour régner, contrôler, être supérieur.

Un vaste mur sépare ceux qui ont réussi de ceux qui ont connu l'échec, l'homme riche et Lazare. D'un côté, la vie, de l'autre la mort. Et il faut la vie à tout prix, même au prix de la vérité, de la justice et de la compassion. Il vaut mieux supprimer le concurrent, prouver qu'il est mauvais, porter le soupçon sur ses mœurs et sa vie privée, l'abaisser, pour gagner soi-même. Mais le nombre de ceux qui sont du mauvais côté du mur ne cesse de grandir ; ils se mettent ensemble. Leur colère en face de l'injustice devient tellement grande qu'un jour la violence éclate. Les opprimés prennent le pouvoir. Cependant, à leur tour, ils oppriment ceux qui les ont opprimés, jusqu'au jour où les nouveaux opprimés se révoltent, et c'est ainsi que l'histoire de l'humanité accouche toujours de nouvelles violences.

Dans notre univers, il y a le haut et le bas, le soleil et la boue, le beau et le laid. Bien vite, les êtres humains se divisent entre les purs et les impurs, les bons et les mauvais, les vertueux et les pécheurs, les capables et les incapables. Un mur les sépare. Les enfants des bons ne doivent pas jouer avec les enfants des mauvais. Du côté des purs se développe un sentiment de supériorité et d'orgueil. Du côté des impurs, des alcooliques, des personnes dans la drogue ou de ceux qui vivent une sexualité déréglée, grandit un sentiment de culpabilité, de confusion, de désespoir et de dépression. Elles ont une image cassée d'elles-mêmes.

Aujourd'hui, le sida est la maladie de la honte. Le frère d'un assistant de l'Arche est mort du sida un

Vendredi saint, vers trois heures de l'après-midi. Son père avait refusé de le revoir quand il avait eu connaissance de sa maladie. Un mur de honte les séparait.

Nous connaissons tous peut-être cette histoire : un chef d'entreprise crie injustement contre un de ses employés. Celui-ci est meurtri, blessé, mais il n'ose répondre ; il rentre chez lui révolté. Le repas n'est pas prêt et il hurle contre sa femme, déversant sur elle ses angoisses et colères. Elle n'ose à son tour répondre ; trouvant son fils en train de prendre quelque chose dans le frigidaire, elle crie contre lui. Il se tait, sort dans la rue, et donne un coup de pied à un chien. L'agression se communique ainsi de personne à personne, de groupe à groupe, de génération en génération. Elle provoque la peur qui provoque elle-même le désir de détruire. Et il y a toujours le dernier qui ne peut répondre ; il reçoit l'agression des autres et se tait, meurtri. C'est souvent la situation des personnes avec un handicap mental.

La peur de la différence

Nous faisons presque tous partie d'un groupe de gens semblables partageant les mêmes certitudes et les mêmes valeurs. Chaque groupe (national, racial, politique, religieux ou antireligieux) se considère comme le meilleur, dans la vérité. Les autres sont plus ou moins rejetés, ils ont tort. Un mur nous en sépare. C'est si facile de juger l'autre ; c'est si difficile de porter un jugement sur soi-même et sur son propre groupe. Le différent, l'étranger, met mal à l'aise. Ce que l'autre vit, ses certitudes, ses appréciations de la réalité et sa façon de l'aborder, ses coutumes, ses tra-

ditions, sa langue, ses valeurs religieuses sont si différentes, qu'on a du mal à les entendre, à les respecter
et surtout à les intégrer. Les certitudes de ceux qui
sont différents mettent en cause nos propres certitudes ; elles nous ébranlent et sèment le doute. Et plus
on a cru trouver la vie dans le sentiment de sa propre
supériorité, en se nourrissant d'illusions sur sa propre
bonté ou sur son sens de la vérité, plus on s'est
enfermé dans le refus de se regarder tel qu'on est, et
plus l'étranger, le différent, met mal à l'aise. On ne
veut pas l'écouter en vérité avec un cœur ouvert ; si
on l'écoute, c'est avec suspicion et avec crainte ; en
interprétant ses paroles selon une grille toute faite.

Ces peurs nées de la différence peuvent exister
entre l'homme et la femme et entre les générations :
les parents savent ce qui est bien pour leurs enfants ;
les adolescents, de leur côté, jugent leurs parents ; ils
ne veulent pas entendre d'eux ce qu'ils doivent faire ;
ils veulent agir librement. Ainsi des murs se dressent
entre les personnes et les groupes.

Chaque groupe, chaque religion, chaque race, chaque nation, chaque personne a besoin d'affirmer qu'il
est le meilleur, l'élite, l'unique, le seul qui possède la
vérité, comme si notre monde était uniquement régi
selon les lois de la compétition, de la rivalité ; chacun
veut croire, affirmer, prouver qu'il est le premier et
il s'arme d'arguments, parfois de mitraillettes et de
bombes pour le prouver.

Les murs qui protègent

Les murs ne sont pas seulement des réalités négatives qui séparent et divisent les êtres humains. Ils protègent aussi la vie et lui permettent de croître. Le sein
de la mère protège le petit être qui vient d'être conçu.

Les murs d'une maison abritent l'intimité et la vie d'une famille ; ils apportent la sécurité. Chaque personne, pour vivre et prospérer, a besoin d'un espace privé, d'un espace de solitude ; elle a besoin de défendre la vie en elle surtout aux moments de faiblesse, de fatigue et de maladie. D'une façon générale, l'être humain tend à se préserver, souvent inconsciemment, de toute situation qui peut le mettre en danger psychologique. La panique s'empare de nous si notre espace privé est violé, si un étranger s'approche trop de notre corps, de notre être et de notre terre. Les murs protègent la vie. Et il faut bien l'admettre, il y a des forces hostiles dans notre univers, dans nos sociétés, dont il faut se prémunir.

De même, pour vivre humainement, il est nécessaire d'avoir une identité, d'appartenir à un groupe qui partage les mêmes valeurs et qui donne une certaine sécurité. Sans cette identité, qui sommes-nous ? On disparaît dans le chaos, ou dans ce que les autres veulent qu'on soit ; on n'existe plus. Parfois, il faut aider les personnes à découvrir et à approfondir leur identité, en se cachant derrière des murs. Ensuite elles pourront s'ouvrir progressivement aux autres.

Si les murs mettent à l'abri un individu contre une violation ou une invasion, ils protègent aussi les autres contre ses propres désirs meurtriers et pulsions instinctives ; ils empêchent la violence de sortir de soi. Les personnes sans barrières intérieures sont trop vulnérables ; leur violence peut s'extérioriser trop rapidement et faire du mal. C'est pour cela que des hôpitaux psychiatriques et des prisons — certes humaines et thérapeutiques — peuvent être nécessaires pour soigner certaines personnes et leur redonner le sens de leur dignité humaine.

Le danger c'est de transformer les murs nécessaires à la protection, à l'approfondissement et à la croissance de la vie en murs de peurs, d'intolérance et d'*a priori*. Ainsi, le grand défi pour l'être humain, c'est de discerner quand il lui faut maintenir des murs protecteurs de la vie et quand il lui faut abattre ceux-là pour accueillir des personnes différentes en vue d'un enrichissement mutuel. Comment y parvenir ? Comment découvrir notre humanité commune au cœur de toutes nos différences ? C'est le sujet de ce livre.

Je voudrais maintenant expliquer comment l'être humain est fait pour la communion et la paix et tenter de comprendre pourquoi les murs intérieurs naissent. Car tous les murs extérieurs ne sont que la projection de nos murs intérieurs. Ces murs, et même les murs de préjugés et de haine, ne sont pas statiques, immobiles, figés ; ils sont les murs de la peur et de la vie. Et la vie est en croissance, en mouvement ; la peur peut disparaître. Le mur qui, à un moment, abrite peut devenir le rempart qui empêche la vie ; et ce mur qui empêche la vie peut disparaître sous la poussée de la confiance qui renaît.

Un des murs qui m'impressionne le plus est celui qui se constitue autour du cœur et de l'esprit de la personne dite « psychotique ». Ce mur paraît épais, il s'est édifié pour protéger la personne des angoisses insupportables souvent provoquées par la relation avec autrui. Un malade souffrant d'une psychose cache souvent au plus profond d'elle-même une vie particulièrement riche, une sensibilité rare. Si cette personne est dans un milieu adapté et trouve le soutien et l'aide nécessaires, ces murs se lézardent. La communication peut être restaurée.

Le mur de Berlin a disparu sans qu'on tire un seul coup de feu. Il s'est écroulé comme certains murs en ruine, sous la force de la vie et de l'élan vers la liberté. Le mur de l'apartheid est tombé sous la poussée de

milliers d'hommes et de femmes comme Mandela et
De Klerk, qui ont cru avec audace à la liberté
humaine et à la communion universelle. De même,
un sérieux processus de paix est entamé entre Israël
et les Palestiniens.

Dans un village où réside une communauté de
l'Arche, il y avait un homme difficile, je dirais, terrible. Il semblait haïr les personnes avec un handicap
et la communauté elle-même. Il hurlait contre nous
et nous menaçait. Avec son tracteur il faisait peur en
fonçant sur les gens. Puis, un jour, Nicolas, un
homme avec un handicap, est allé le voir pour lui
demander de s'occuper de son lapin durant les vacances. Il a accepté. Un lien s'est créé. Progressivement,
cet homme a changé et, maintenant, occasionnelle-
ment il vient manger dans la communauté. Les gestes
menaçants sont devenus des gestes d'amitié et
d'accueil. Les murs de haine et de peur ont disparu
pour être remplacés par un courant de confiance.

II

COMMUNION ET BLESSURE

1

La soif de communion

Il y a eu dans ma vie trois moments très différents après mon enfance. À treize ans, je suis entré dans la marine et j'ai passé huit ans dans ce monde militaire où la faiblesse était à bannir, où il fallait être efficace, rapide, et passer de grade en grade. J'ai quitté ce monde-là et un autre monde s'est ouvert à moi : celui de la pensée. J'ai étudié la philosophie durant de longues années. J'ai passé un doctorat sur l'éthique aristotélicienne et j'ai commencé à enseigner. Là encore, la faiblesse, l'ignorance ou l'incompétence étaient à proscrire : c'était encore un monde d'efficacité. Puis, dans un troisième temps, il y eut la découverte des personnes faibles, des personnes avec un handicap mental. J'ai été bouleversé en profondeur par ce vaste monde de pauvreté, de faiblesse et de fragilité. Ma vie a alors basculé dans cet univers de souffrance. J'ai quitté des idées sur l'être humain pour découvrir l'humain — ce que c'est d'être un homme ou une femme.

J'ai été touché par ces hommes, par leur douleur, par leur cri d'être considérés, respectés, aimés. En accueillant Raphaël et Philippe j'ai découvert ce qu'était *la communion*. Raphaël et Philippe ne voulaient pas vivre avec un ancien officier de marine qui donne des ordres à tout le monde et se croit supérieur. Ils ne voulaient pas vivre non plus avec un ex-professeur de philosophie qui croyait qu'il savait quelque chose. Ils voulaient vivre avec un ami. Et qu'est-ce qu'un ami sinon quelqu'un qui ne me juge pas, ne me quitte pas quand il voit mes fragilités, mes limites, mes blessures, mes incapacités, tout ce monde brisé à l'intérieur de moi. L'ami est celui qui voit mes ressources, mon potentiel, et qui veut m'aider à le développer. L'ami est tout simplement heureux de vivre avec moi. Il prend sa joie en moi.

En vivant avec Raphaël et Philippe, ces deux hommes si fragiles, si faibles, ayant tant souffert du rejet, j'ai découvert la soif de communion de l'être humain. Ce qui était le plus important avec Raphaël et Philippe, ce n'était pas d'abord la pédagogie et les techniques éducatives que je pouvais appliquer afin de les aider à être autonomes et capables de travailler, c'était mon attitude face à eux. La façon de les écouter, de les regarder avec respect et amour ; la façon de toucher leurs corps, de répondre à leurs désirs ; la façon d'être dans la joie, de célébrer et de rire avec eux. C'était ainsi qu'ils pouvaient peu à peu découvrir leur beauté, qu'ils étaient précieux, que leur vie avait un sens et une valeur. Pendant de longues années leurs parents et la société les avaient pris en pitié et leur avaient fait comprendre qu'ils étaient pour eux une déception, qu'ils n'avaient pas de valeur humaine, qu'ils étaient des ratés de la nature. En vivant avec eux, en prenant ma joie en eux, ils pouvaient découvrir leur unicité, leur beauté fondamentale et ainsi retrouver confiance en eux-mêmes, tels qu'ils étaient. Ils n'avaient pas besoin d'être autres qu'eux-mêmes pour être appréciés. C'était un changement radical pour eux, une renaissance. Mais pour moi aussi, car par ma culture et mon éducation j'étais un homme de compétition, pas un homme de communion. Il m'a fallu opérer une conversion profonde : comme toute conversion, elle n'est pas encore achevée.

Communion, générosité et collaboration

J'ai ainsi découvert que la communion est très différente de la générosité. La générosité consiste à jeter des semences de bonté, à faire du bien à d'autres, à exercer des vertus héroïques, à donner son argent, à se dévouer aux autres. Le généreux est fort ; il a un pouvoir ; il *fait* mais ne se laisse pas toucher, il n'est pas vulnérable. Il a une tâche à accomplir. De la même façon, la communion est autre que l'éducation ou la pédagogie. Dans l'éducation, si elle n'est pas fondée sur la communion, on aide et on éduque l'autre ; mais celui qui éduque demeure supérieur. Il sait, l'autre ne sait pas.

Dans la communion on devient vulnérable, on se laisse toucher par l'autre. Il y a une réciprocité : une réciprocité qui passe par le regard, le toucher. Il y a comme un va-et-vient de l'amour, une reconnaissance mutuelle qui peut jaillir en célébration et sourires ou s'approfondir en compassion et en larmes. La communion se fonde sur une confiance mutuelle où chacun donne à l'autre et reçoit dans ce qu'il y a de plus profond et de plus silencieux de son être.

J'ai également découvert que la communion est très différente de la collaboration ou de la coopération. Dans la collaboration, on peut être des collègues qui œuvrent ensemble vers le même but : par exemple dans une entreprise, on agit ensemble en fonction d'un objectif commun, mais il n'y a pas nécessairement communion entre les personnes. Dans la communion, on fait peut-être des choses ensemble et on collabore, mais l'important n'est pas d'aboutir concrètement, c'est d'être ensemble, de prendre sa joie dans l'autre, d'avoir le souci de la personne de l'autre. Raphaël et Philippe m'ont vraiment fait entrer dans ce monde de la communion. Dans la marine, je ne cherchais pas à être en communion avec les matelots. Je cherchais à les commander. J'étais supérieur. S'ils étaient faibles, en difficulté, je devais résoudre leurs problèmes ou les sanctionner. Dans l'enseignement, je devais dire aux étudiants ce qu'ils devaient faire ou apprendre, je devais corriger, éveiller l'intelligence. Avec Raphaël et Philippe, il s'agissait de créer un milieu chaleureux où nous pouvions vivre en communion les uns avec les autres comme dans une famille. C'est pourquoi, inlassablement, j'ai cherché à comprendre les formes possibles de la communion, son origine et sa finalité.

La communion se manifeste d'abord dans l'amour d'une maman ou d'un papa pour son enfant. Le sourire et le regard de l'enfant réjouissent le cœur de la mère et le sourire et le regard de la mère réjouissent le cœur de l'enfant. Ils se révèlent l'un à l'autre. On ne sait pas si la mère donne plus à l'enfant, ou si l'enfant donne plus à la mère. Cette communion se réalise à travers le toucher, le regard, le jeu ; à travers la nourriture, le bain, les soins : la maman rit, elle joue, elle caresse et l'enfant lui répond par le sourire et le rire, par sa joie et l'épanouissement de son corps.

Que se passe-t-il dans ce va-et-vient de l'amour ? À travers son toucher, à travers son regard, la mère ou le père dit à l'enfant : « Tu es beau, tu es aimable, tu as une valeur, tu es important. » Et il en va de même pour l'enfant vis-à-vis de la mère. L'enfant qui regarde la mère, l'enfant qui rit, révèle à la mère sa propre beauté.

Certes, du côté de l'enfant cette communion demeure inchoative, à un stade très primitif ; elle n'est pas choisie comme telle. Elle s'insère non pas dans sa conscience rationnelle, qui ne s'éveille que bien plus tard, mais dans sa conscience d'amour. Pour l'enfant, cette communion n'est que la préparation, le fondement de la communion qu'il pourra vivre plus tard. Et pour la mère ou le père, cette communion peut être très vite faussée par son désir de posséder l'enfant et de l'utiliser pour remplir son vide affectif.

Cette communion cependant est une réalité profondément humaine ; elle constitue même ce qu'il y a de plus fondamental dans la vie et dans la psychologie humaine. Elle forme la base qui va permettre à chacun d'entrer progressivement en communion avec le réel de son milieu humain, des autres, de l'univers : de voir en eux des amis en qui on peut avoir confiance et non des ennemis. L'enfant qui n'a pas vécu cette communion ne pourra avoir confiance en lui-même ; il vivra dans la peur et créera des systèmes de défense et d'agression pour se protéger : le milieu devient, ou du moins apparaîtra, comme un lieu hostile.

Éric

Une des personnes qui m'a le plus révélé ce qu'est la communion s'appelait Éric. Nous l'avons rencontré dans un hôpital psychiatrique, il avait alors seize ans. Il était aveugle, sourd, il ne marchait pas, il ne parlait pas et il ne pouvait pas se nourrir tout seul ; il avait un lourd handicap intellectuel. Néanmoins, sa maman, une femme bonne, ne supportait pas la souffrance de son enfant, et ne se sentant pas capable de l'aider l'avait mis dans un hôpital psychiatrique quand il avait quatre ans. Lui, petit, pauvre comme il l'était, ne pouvait comprendre pourquoi sa mère n'était plus là, pourquoi maintenant il était touché, parfois avec agressivité, par une multitude de personnes. Il était perdu. Les quelques repères qu'il avait s'étaient évanouis. Il se sentait seul dans un monde hostile.

Quand je l'ai rencontré, Éric avait déjà passé douze ans en hôpital psychiatrique. Il avait des carences affectives terribles. Son cœur était comme un grand vide rempli de peur et d'angoisse. Quand je m'approchais de lui, il touchait mes mains ou mes pieds et puis il commençait à s'agripper à moi dans un cri de tout son être, hurlant pour être touché, pour être aimé. Son cri était si total, si agressif, qu'il était insupportable à entendre, à recevoir. Il fallait se dégager de ses étreintes sinon on avait le sentiment d'être dévoré. Il est évident qu'à l'hôpital il était perçu comme un enfant qui demandait trop et mal ; avec lui il n'y avait pas de gratification. Très angoissé, s'agitant beaucoup, il était difficile à supporter pour les infirmières. Ainsi ses angoisses et agressivités se sont développées à un degré insupportable pour lui et pour les autres. Il ne se tenait pas tranquille, il était incontinent, il avait des gestes brusques ; parfois des cris terribles sortaient de lui. Il s'était manifestement formé à l'intérieur de lui une image blessée de lui-même.

Éric vivait le drame de beaucoup d'enfants avec un handicap lourd. On ne les supporte pas. Leurs parents ne peuvent pas toujours leur donner l'amour, la communion, la tendresse et les soins dont ils ont besoin. Le petit enfant ne vit que par la communion, par le regard et les mains de tendresse de la mère. Tout seul il est en danger. Il ne peut se défendre, il est trop petit, trop vulnérable, sans défense. S'il ne se sent pas aimé, pas voulu, n'ayant pas de place, il vit les angoisses de l'isolement. Il vit des traumatismes de peur. S'il n'est pas aimé, protégé par l'amour, il est en danger de mort. C'est le drame de l'enfant abandonné. Se sentant seul, rejeté, il croit que c'est parce qu'il n'est pas bon, qu'il n'est pas aimable. Il se sent coupable d'exister. Il entre dans le cercle vicieux des souffrances intérieures. Sentant qu'on ne veut pas de lui, il devient plus angoissé, dépressif et agressif — il se ferme de plus en plus. Ainsi, on a davantage peur de lui. Il est obligé de se défendre comme il peut dans un monde qui lui est hostile.

Quand nous accueillons à l'Arche quelqu'un comme Éric, la seule chose qu'il faut essayer de lui révéler, c'est que nous sommes heureux qu'il existe, que nous l'aimons et l'acceptons tel qu'il est. Mais comment le lui révéler, lui qui ne voit pas et n'entend pas ? On ne peut pas le lui dire ; on ne peut pas le manifester par des gestes. Le seul moyen, c'est à travers le toucher. J'ai eu le privilège de passer un an avec lui en 1981 dans le foyer La Forestière quand j'ai quitté la responsabilité de la communauté de l'Arche, et j'ai pu découvrir qu'un des moments privilégiés de communion était le bain. Son petit corps nu se détendait et prenait du plaisir dans l'eau chaude. Il était si heureux d'être touché et lavé. Le seul langage qu'il pouvait comprendre était celui de la tendresse à travers les mains : un langage de douceur, de sécurité, mais aussi un langage qui à travers mon corps et ses vibrations, lui révélait précisément qu'il était aimable, qu'il était bon et que j'étais heureux avec lui. En le touchant, je recevais la tendresse qu'il voulait me donner.

Le corps est ainsi le fondement et l'instrument de la communion. La communion exige une certaine qualité d'écoute, rendue visible à travers le regard et le toucher. Ainsi par tout le corps, par le regard et l'écoute, on peut révéler à quelqu'un qu'il est beau, qu'il est intelligent, qu'il a une valeur, qu'il est unique. Quand on écoute un enfant avec intérêt, l'enfant découvre qu'il a quelque chose à dire, et il a souvent envie de le dire à ce moment-là. Si en revanche, on parle tout le temps et on dit à l'autre sans cesse ce qu'il doit faire, ce qu'il doit apprendre, alors cet autre aura de la difficulté à trouver confiance en lui-même.

La communication : le langage de l'amour

À l'Arche, j'ai beaucoup appris sur le langage. Dans la marine comme durant mes études, le langage était pour moi un moyen privilégié pour échanger des informations et pour discuter. Souvent, à travers des connaissances, on montre sa supériorité, on discute pour prouver quelque chose, on donne des ordres et on enseigne. Il y a aussi le langage de la détente : on raconte des histoires, on blague, on fait le pitre pour se mettre au centre et attirer l'attention. Le langage de l'amitié est davantage un échange personnel et culturel. Mais, à l'Arche, j'ai découvert le langage de l'amour, du jeu, de la célébration. On parle pour dire notre joie d'être ensemble, pour donner quelque chose de nous-même, pour dire à l'autre qu'on l'aime, pour vivre la communion. Le langage n'est plus alors compétition : il est célébration, il est révélation, il est échanges intimes dans le rire, le sourire. Certes, avec les personnes avec un handicap, ce langage est souvent symbolique ; il faut savoir le décoder. Avec elles, il faut aussi parler des événements et montrer les limites à des gestes violents et asociaux, il faut exiger des efforts dans tel ou tel domaine. Il faut enseigner le travail. Mais avant tout, le langage est au service de la communion, qui utilise des mots simples.

Pour la communion, le langage le plus important est le langage non verbal : le geste, le regard, le ton de la voix, l'attitude du corps. Ce sont eux qui révèlent l'intérêt qu'on a pour l'autre, comme ils révèlent aussi le désintérêt, le mépris, le rejet. Pour ceux qui ont des déficiences sur le plan du langage verbal, le corps devient le langage essentiel. Le cri, la violence, les gestes autodestructeurs, comme les gestes de tendresse sont tous des moyens de communication, ils sont porteurs d'un message.

La mère interprète toujours le cri de son enfant. « Il a faim ; ses dents poussent ; il a besoin d'être aimé, caressé ; il est fâché... » De même, à l'Arche, on apprend à lire le visage, les yeux, l'attitude du corps, le cri, les angoisses, comme les gestes de tendresse. Quand l'enfant ou la personne qui ne peut s'exprimer par la parole sait qu'elle est comprise, et qu'on répond à son désir, il y a une nouvelle certitude qui naît en elle — la certitude d'être une personne qui a le droit d'avoir et d'exprimer des désirs, qui est comprise, la certitude *d'être* et d'avoir une valeur.

La pédagogie essentielle à l'Arche est celle de la célébration : le langage de la célébration, qui prend tout l'être, le corps et l'esprit. Les personnes comme Éric ont une telle image blessée d'elles-mêmes. Pendant si longtemps, elles ont été enveloppées de tristesse, d'une langage de déception qui les ont enfoncées dans cette image négative d'elles-mêmes ! Elles se sentaient bonnes à rien. Quand, au contraire, elles découvrent la joie autour d'elles, peu à peu, elles découvrent aussi qu'elles sont source de joie, de vie, de bonheur. Leur image négative d'elles-mêmes se change peu à peu en image positive. Quand il s'agit d'adolescents et d'adultes, le langage rationnel intervient pour préciser l'engagement, la responsabilité et le sens même de la communion. Ce n'est plus alors un langage d'amour ou un langage purement non verbal. La communion n'est plus seulement une expérience affective passagère mais une expérience qui s'inscrit dans une histoire, est révélatrice du don de l'être profond et appelle une continuité, une fidélité : la parole est nécessaire pour préciser tout cela. Parfois, l'intimité physique, le baiser trop rapide étouffe et empêche la parole nécessaire à la communion vraie entre adultes. Avec Raphaël et Philippe, il fallait ainsi que je précise mon engagement à leur égard. Après trois mois dans la petite maison, je leur ai demandé s'ils voulaient rester. Ils ont répondu : « Oui. » Je leur ai dit aussi mon « oui, vous pouvez rester autant de temps que vous le voulez. C'est notre maison ».

La communion : le don de la liberté

La communion n'est pas une fusion où les frontières entre deux personnes cessent, et on ne sait plus qui est qui. La mère sait que son enfant *est*. Elle veut qu'il grandisse et soit lui-même. L'enfant affirme très tôt qu'il est et ce qu'il veut. Cependant, il y a de fausses communions qui provoquent des dépendances malsaines. La mère cherche alors à manipuler son enfant affectivement pour l'empêcher d'être lui-même, pour mieux le contrôler. La communion-possession existe quand la personne la plus forte, la plus consciente, séduit et utilise le faible pour ses propres besoins affectifs. Elle cherche à le capter, à le garder pour elle, à se réfugier en lui pour calmer ses propres angoisses et pour remplir son propre vide. Elle ne supporte alors pas son cri de liberté, ses refus d'obéir. Elle ne supporte pas qu'il affirme son altérité. C'est une caricature de la communion, qui se produit souvent quand la mère se sent en manque affectif par rapport à son mari. Dans ce cas, la mère risque d'étouffer la liberté de l'enfant, qui découvre alors l'altérité comme un danger.

La véritable communion, au contraire, existe pour que l'autre soit autre et qu'il grandisse vers la liberté intérieure, qu'il développe ses dons. Elle est un don du cœur pour que l'autre soit. Elle est oblative. La mère se réjouit parce que son enfant devient lui-même ; elle découvre l'altérité comme le meilleur de l'humain. C'est pour cela que le père est si important. Non seulement il vit lui aussi la communion avec son petit, mais son amour pour sa femme permet à celle-ci de vivre cette communion oblative avec l'enfant. En réalité, la véritable communion parents-enfant jaillit de la communion entre le père et la mère.

Ainsi, la communion ne renferme pas les êtres l'un dans l'autre. Au contraire, elle donne liberté et vie à chacun. Quand on voit la mère et l'enfant, la mère n'est pas fermée sur l'enfant, elle ne s'isole pas dans la chambre, elle va montrer son enfant : « Regarde comme il est beau ! » Et l'enfant, à sa manière, est en train de dire aussi : « Regarde comme elle est belle. » La vraie communion communique aux autres cette même joie, ce même amour, cette même tendresse, cette unité et cette liberté vécues entre les deux.

La communion inscrite dans le temps

Il est évident que je ne pouvais pas vivre à chaque instant cette communion que j'avais découverte progressivement avec Raphaël et Philippe, ou plus tard avec d'autres comme Éric. Une quantité de choses étaient à faire : la cuisine, le ménage, l'organisation des journées, des visites à effectuer, etc. À certains moments, Raphaël était en colère ou vivait de terribles angoisses. J'avais besoin aussi de moments de solitude pour me reposer, me détendre seul, prier ou lire. Raphaël et Philippe avaient besoin aussi de ces temps de solitude. La vie n'est pas seulement communion et stimulation affective. Elle est aussi croissance, repos et acquisition dans un milieu de paix et de sécurité. Ces moments de communion sont, dans une journée chargée, comme des instants de plénitude. Comme si toute les activités d'une journée trouvaient leur sommet dans le regard, dans le rire, dans ces moments de silence et de repos qui peuvent devenir prière. À La Forestière, le soir après dîner, je mettais Éric en pyjama, puis nous passions une demi-heure ou trois quarts d'heure de prière tous ensemble au salon, les personnes avec un handicap lourd et les assistants. J'étais souvent assis avec Éric sur mes genoux ; il se reposait. Et je découvrais que moi-même je me reposais avec lui. Je n'avais pas envie de parler. J'étais en paix, silencieux à l'intérieur de moi. Lui aussi était en paix. Je me sentais bien. Lui aussi se sentait bien. C'était comme un moment de guérison pour moi. Je retrouvais mon unité intérieure. S'esquissait sur son visage un sourire de paix. Son corps n'était plus agité. Il était heureux. Il en va de même avec l'enfant qui se repose dans les bras de la mère, et la mère elle-même se repose dans cette communion. Ce sont des moments de guérison intérieure pour l'un et l'autre, l'un par l'autre.

On le voit aussi dans le couple. On le voit dans l'amitié où après avoir longuement parlé, il y a comme une sorte de moment divin de communion où l'on est bien l'un avec l'autre. Un silence descend sur les deux amis, un silence qu'on ne veut pas rompre. Ce moment de paix, d'amitié, de communion devient un moment d'unité où l'on est l'un avec l'autre dans l'humilité, le don de soi. C'est un moment d'éternité dans un monde où s'enchevêtrent l'action, le bruit, l'agressivité, le besoin individuel de se prouver et la recherche d'efficacité. Deux cœurs battant à l'unisson, donnant liberté l'un à l'autre. Deux personnes présentes l'une à l'autre. C'est comme si le temps s'arrêtait. Et pourtant l'un ne peut suffire à l'autre. L'enfant continue à grandir et à découvrir de nouvelles personnes et le monde ; la mère de son côté a besoin de son mari, de son propre travail, etc. L'autre n'est pas Dieu ; il ne peut combler totalement le cœur humain. Il est peut-être un instrument de Dieu révélant sa présence. Ces moments contemplatifs de paix et de communion creusent le cœur humain pour qu'il puisse être plus, vivre plus, chercher plus et se donner plus. C'est un sommet, mais aussi un point de départ.

La communion n'est pas seulement un moment de silence béni entre deux personnes ; elle est aussi un milieu, une attitude et une façon de vivre et d'être avec d'autres. Un groupe de personnes liées entre elles qui chante, joue, célèbre et prie. Des personnes éloignées les unes des autres mais qui savent qu'elles sont unies par des liens de communion. Certes, ces liens doivent être manifestés et nourris de temps à autre, mais ils sont là à travers le temps et la distance.

Communion et faiblesse

Le besoin de communion devient impérieux en situation de faiblesse, quand on ne peut plus agir ou coopérer avec d'autres. Quand on est en pleine réussite, on recherche plutôt l'admiration. Quand nous nous sentons faibles, nous sommes en quête de communion. Cette faiblesse peut être la faiblesse du petit enfant, celle du vieillard, de la personne malade, de l'accidenté, de la personne qui vient de subir un échec professionnel, de la personne avec un handicap, de la personne en dépression. Quand on est en état de faiblesse, on n'a pas besoin de grand discours ou d'actions, mais de la présence de quelqu'un qui vient près de nous pour nous tenir la main et dire : « Je suis content d'être là avec toi. » Ainsi on sait qu'on est aimé, non pour ce qu'on est capable de faire, mais pour ce qu'on est. C'est à ce moment-là que va renaître la confiance en soi.

Chaque fois que je vois un mendiant dans la rue ou dans le métro, j'ai l'habitude de mettre la main dans ma poche et de lui donner la première pièce que je trouve. Cette pièce peut être une pièce d'un franc, de deux francs, de cinquante centimes ou de dix francs. Je la lui donne en le regardant et en lui disant quelques mots. Il y a à chaque fois un regard particulier qui jaillit de ce mendiant, et cet échange de regards est un moment de communion qui nous nourrit et nous rend heureux tous les deux. Les autres personnes dans le métro ne me regardent pas, ils ont même peur de mon regard. Si je cherche à rencontrer leur regard, ils vont croire que je suis quelqu'un qui veut avoir une relation sexuelle, ou qui veut leur voler quelque chose. Tout le monde a peur. Mais le mendiant, non, je peux le regarder, il n'a pas peur de moi. Comme je n'ai pas peur de lui. Et ce simple regard peut lui redonner confiance. Car tout être humain qui perd confiance en lui-même, qui est tombé dans le monde de l'alcool, de la drogue, de l'échec familial, relationnel ou professionnel, a besoin de quelqu'un qui le regarde comme un être humain, avec tendresse, avec confiance. Et c'est ce moment de communion qui va permettre, petit à petit, à la confiance en soi de renaître. Quand on raconte ses prouesses et ses succès, on est admiré. Par contre, quand on partage ses limites, ses fragilités, ses torts et ses difficultés, on suscite la compassion. L'humilité attire et crée la communion.

Les fruits de la communion

L'enfant qui se repose dans les bras de sa mère ou de son père, l'enfant qui joue avec eux, qui sourit et qui rit, est une icône du bonheur. Son corps se dilate, son visage rayonne, ses yeux pétillent, ses mains s'agitent dans l'amour. Il se sait aimé, alors il est quelqu'un ; il vit. Il n'est pas seul. Il n'a pas besoin de se défendre malgré toute sa faiblesse et sa petitesse. Il est défendu, car aimé. Il est en sécurité, en paix. Il peut vivre et aimer. Tout son être est unifié dans et par cette communion.

C'est le fruit de la communion. Cette communion qui apporte un moment de bonheur, façonne, comme nous l'avons dit, les profondeurs de la psychologie de l'enfant ; elle va lui permettre d'avancer dans la vie avec confiance en lui-même, dans les autres et dans l'univers. Quand je visite des hôpitaux, souvent j'aime prendre dans mes bras les enfants avec un handicap. Abandonnés à leur solitude dans leurs petits lits à barreaux, ils sont là, les yeux vides, le visage triste. J'ouvre ma veste, je prends l'enfant dans mes bras et serre son corps contre le mien pour qu'il reçoive la chaleur et la vibration de mon corps. Instantanément son corps commence à vibrer, ses bras s'agitent avec joie, il commence à rire. Il me fait penser à un homme dans un désert, assoiffé, qui trouve une oasis. Il boit, il boit et il met l'eau sur son visage, il rit de joie. L'enfant a soif de communion, sans elle il meurt.

Je me souviens encore de cet homme qui criait dans

le métro à Paris. J'étais assis et j'attendais. Soudain, je vis une main ouverte devant mon nez. J'ai pris la main et je l'ai serrée. J'ai regardé le visage de cet homme jeune, vingt-cinq ans à peine, sale, pas rasé, ses habits dégageant de mauvaises odeurs. Je lui ai demandé son nom, je lui ai souri et j'ai glissé dans sa main une pièce d'un franc. Cet homme a dû voir que je ne me sentais pas bien non plus, car j'étais particulièrement fatigué. Il m'a regardé avec tendresse, des yeux d'une réelle douceur, et m'a dit : « Nous sommes tous les deux dans le même sac ! » Puis, il est parti, criant sa colère contre tout le monde. Il m'a semblé que son regard envers moi venait du plus profond de son être. Il avait soif d'avoir un nom, d'être regardé comme une personne.

Certes, ce n'était qu'un instant de communion, mais un instant qui révèle la soif de chaque être humain. Je ne crois pas que je pourrais vivre à longueur de journée avec cet homme. En effet, sa soif n'étant jamais comblée, il vit sans doute un malaise constant qui doit s'exprimer par de la colère. Petit enfant, je suppose qu'il lui manquait la présence aimante d'une maman et d'un papa. Il était en quête continuelle de cette tendresse qu'il n'a jamais eue. Aujourd'hui, son cri, sa violence traduisaient son appel pour la communion. Mais l'instant que j'ai vécu avec lui a éveillé ce qu'il y a de plus profond en moi.

Cette soif pour la communion se manifeste d'une façon éclatante et douloureuse, parfois même brutale, souvent désordonnée, dans la vie sociale, les grands rassemblements, les concerts et dans les mœurs sexuelles. Il y a un tel désir dans le cœur de chacun de trouver la communion, la tendresse, un sentiment d'aimer et d'être aimé à travers une présence physique et corporelle que, parfois, le sexe tient lieu de communion, donnant un sentiment de communion passager.

L'exercice de la sexualité peut devenir un jeu, une compétition, un besoin de posséder ou de conquérir quelqu'un ; elle peut aussi devenir sadique, le désir de faire du mal à quelqu'un. Mais la soif de communion est, semble-t-il, l'ingrédient le plus important du désir sexuel.

Pourtant, la communion est difficile. Ce qu'il y a de plus beau devient l'expérience la plus douloureuse et la plus blessante. L'être humain découvre peu à peu la discordance entre ses soifs et désirs profonds et son incapacité de les réaliser. Incapacité qui vient de ses propres peurs et blessures et de l'incapacité des autres de répondre à ses désirs profonds. Quelle est donc cette blessure profonde dans le cœur de l'être humain ?

2

Naissance de la blessure

Mes amis Robert et Suzanne attendaient leur pre-mier enfant. À partir du sixième mois de la grossesse, sachant que l'enfant commence à entendre, Robert chantait tous les soirs une chanson au tout-petit. Cha-que soir, la même chanson. Il était présent à la nais-sance de Diane, qui comme tout nouveau-né hurlait ses angoisses. Il a commencé à chanter la chanson de tous les soirs. Diane a cessé immédiatement de crier et elle a tourné la tête vers son papa. Elle a reconnu sa voix. L'enfant existe dans le sein maternel. Ce sein est pour lui un lieu paisible, sécurisant, dans lequel il existe aussi une communication. L'enfant peut sentir si la mère est tendue ou détendue. À une étape de sa croissance, il entend la musique de sa voix. Et puis, un jour, ce sein devient trop petit ; l'enfant vit alors le moment traumatisant et angoissant de la naissance. De ce lieu sécurisant, bien fermé, chaud, il est comme plongé dans un monde aux horizons infinis. Il n'est plus enveloppé, nourri directement par le sang de la mère. Il est en contact avec la lumière, l'air. Il vit l'angoisse de l'isolement et de l'inconnu, mais tout cela se termine heureusement dans les bras de la mère. Il retrouve la douceur de sa tendresse et de son

corps, il se repose sur son sein, il découvre son toucher délicat et aimant. Ce bébé qui vient de naître est
tellement fragile, tellement petit, il ne peut rien faire
de lui-même. Tout seul, il est en danger de mort. Il
ne peut pas se nourrir seul, il ne peut pas se laver, ni
se vêtir. S'il a froid il ne peut pas tirer les couvertures.
Pratiquement, le bébé ne peut rien faire sinon crier,
appeler au secours ou manifester sa joie.

Ce petit, après l'expérience traumatisante de la
naissance, va sentir un malaise. Il va sentir la faim
qui l'incite à crier. Et la mère répond en lui donnant
le sein ; elle le nourrit. Le malaise se transforme en
paix, en un sentiment de plénitude, de bonheur.
L'enfant découvre qu'on répond à son cri ; il est protégé, aimé ; il découvre la communion et la confiance
en une autre personne. Et chaque fois qu'il crie, sa
maman est là. Par un instinct maternel extraordinaire, elle comprend le cri de son enfant, s'il a faim,
s'il est fatigué, s'il est malade, s'il se sent seul...
L'enfant se sent compris dans ses désirs et dans ses
difficultés propres. Malgré — à cause de ? — sa faiblesse extrême il est en paix, il n'a pas peur car il est
aimé. Il découvre que sa maman lui porte une attention toute spéciale ; il réalise progressivement qu'il est
unique au monde pour elle ; il est « le plus bel enfant
du monde ». Il sent toutes les vibrations qui viennent
de la mère, du père, des oncles, des tantes, des grands-
parents. Il découvre qu'il est le centre de la famille,
qu'il est aimé, protégé. Il n'y a plus de danger. Certes,
cette communion du côté de l'enfant n'est pas
conscient sur le plan intellectuel comme je l'ai expliqué ; elle s'inscrit dans sa conscience d'amour qui va
former la base de son être. Cet amour est comme un
message ; il révèle au tout-petit qui il est. Son cœur
et son corps se dilatent. Il vit alors la confiance de la
communion avec sa mère, qui va l'ouvrir à la commu-

nion au père, aux autres enfants, aux autres membres de la famille. Elle va se prolonger dans la communion avec l'air, la lumière, la terre et l'eau. Le monde n'est pas un lieu hostile mais un espace amical.

Mais, en certaines circonstances, l'enfant s'aperçoit que sa mère ne veut pas de lui. Elle ne peut répondre à son cri. Elle s'énerve ; elle parle sur un ton colérique ; sa voix n'est plus douce et chantante ; elle est stridente ; son corps est tendu, son visage agressif... Tous les parents ont leurs fragilités, leurs fatigues, leurs dépressions, leurs blessures affectives, un surcroît de travail, de soucis, etc. Aucun être humain ne peut demeurer dans un état d'accueil et de communion constante. La mère est prise par autre chose, un autre enfant, elle a trop de travail, elle vit un conflit avec son mari, etc. Elle n'arrive plus à entourer son enfant comme elle le voudrait. L'enfant découvre une maman qui n'est plus une maman accueillante.

J'ai été souvent frappé de constater à l'Arche, quand un enfant commence à courir à droite et à gauche pendant un événement communautaire, comment la mère soudainement devient anxieuse, court vers l'enfant et fond sur lui comme un vautour sur sa proie, le prend avec force et l'emmène ailleurs remplie d'angoisse. Cela fait peut-être partie des blessures de la mère. Peut-être a-t-elle peur d'être vue comme une mauvaise mère, une mauvaise éducatrice. Mais l'enfant qui est parti spontanément dans un esprit de curiosité, de découverte, dans la joie de bouger, d'avancer, de courir tout seul, ne comprend pas la violence de la mère, qui fonce sur lui et l'emmène dehors.

Le cri angoissé de l'enfant, souvent, provoque et éveille l'angoisse chez des parents. Ils découvrent qu'ils sont, parfois, impuissants devant lui. L'enfant fait alors plus que déranger, il engendre chez les parents une forme de violence, il éveille leurs propres angoisses ; surtout la nuit quand il gêne leur sommeil. L'enfant à son tour expérimente une forme de terreur et de panique intérieure, sentant cette agressivité tournée contre lui. Pour survivre, une violence naît dans l'enfant, qui va lui permettre de dépasser la paralysie de la peur et de la culpabilité.

Les sources différentes de la blessure du cœur

Dans notre communauté aux Philippines, nous avons accueilli Hélène : une jeune fille — très petite de taille — de quinze ans, aveugle, avec un corps recroquevillé, incapable de bouger ses bras et ses jambes. Elle avait été placée dans un hôpital quand elle était toute petite. Keiko, une assistante japonaise, s'occupait d'elle avec beaucoup d'amour et de soins ; mais elle m'a avoué que c'était difficile. En effet, Hélène était enfermée en elle-même ; elle ne manifestait rien, ni joie ni colère. Elle était totalement apathique. Nous avons parlé, Keiko et moi, de la dépression des enfants, et j'ai encouragé Keiko à continuer d'aimer Hélène, à lui parler avec douceur, à la toucher avec tendresse. « Un jour, elle te sourira », lui ai-je dit. Et j'ai demandé à Keiko de m'envoyer une carte postale le jour où Hélène lui sourirait. Quelques mois plus tard, j'ai reçu une carte postale de Keiko : « Hélène m'a souri aujourd'hui... Love, Keiko. »

Quand un enfant ne vit plus la communion avec sa mère et son père, quand il se trouve tout seul, dans l'insécurité, il est plongé dans l'isolement et les angoisses. L'angoisse est quelque chose de très difficile à assumer pour l'enfant. C'est comme une énergie folle, sans but précis ; une agitation intérieure, un malaise. Elle peut couper l'appétit et briser le cycle du sommeil ; elle plonge l'enfant dans la confusion et annihile la paix et l'unité intérieures. Si l'enfant ne se sent ni aimé ni voulu, cette angoisse devient culpabilité. S'il sent de la colère à son égard, il est convaincu qu'il est fautif et il fait du mal aux autres. C'est trop pour lui. Il ne peut supporter ces souffrances intérieures, ces malaises et ces angoisses, ce sentiment de culpabilité.

L'enfant vit ces mêmes angoisses quand la mère tend à le posséder, à supprimer ses désirs et sa liberté ; quand elle veut le contrôler et l'utiliser pour remplir son propre vide. L'enfant a l'impression d'être étouffé, annihilé. Le toucher de la mère est alors ambigu. C'est un toucher de possession et non un toucher qui donne sécurité et vie. Cette forme de fausse communion est sous certains aspects plus dangereuse que le rejet et crée de graves tensions chez l'enfant.

Quand nous, adultes, nous sentons cette angoisse et ce malaise monter à l'intérieur de nous, nous pouvons trouver quantité de diversions : nous jeter dans le travail, regarder la télévision, téléphoner à un ami, prendre un livre, faire du jogging ou une promenade, prendre un café au bistrot du coin, etc. Nous avons une multitude de possibilités qui nous permettent d'oublier, d'écarter ce sentiment de malaise. Mais l'enfant ? que peut-il faire ? Rien. Alors son corps devient un corps angoissé, il crie. Ses cris vont peut-être amener les parents à réagir avec encore plus de colère. Nous arrivons ainsi à des cercles vicieux où l'angoisse de l'enfant provoque l'angoisse des parents, et l'angoisse des parents augmente l'angoisse de l'enfant.

Quand je dis que l'enfant ne sait pas se défendre, c'est vrai, mais partiellement. Il ne peut pas se jeter dans le travail, ni téléphoner à un ami ni regarder la télévision, mais il trouve d'autres façons de se protéger qui risquent de créer des dégâts sur le plan psychologique. Il peut se retirer, comme la petite Hélène, à l'intérieur de lui-même. Il refuse alors de communiquer, il se coupe de ses émotions. Il boude. D'une certaine manière, nous avons tous fait cette expérience : quand nous sommes blessé par quelqu'un, nous nous retirons à l'intérieur de nous-même, nous ne voulons plus communiquer, ou bien nous nous mettons en colère. La seule attitude qui pouvait aider Hélène à sortir de sa prison intérieure, c'était l'amour inconditionnel de Keiko, qui lui dit : « Je t'aime telle que tu es, je ne te juge pas, je ne suis pas en colère contre toi, je t'aime. » Peu à peu Hélène a osé avoir confiance.

Une autre façon pour l'enfant de se protéger, c'est de s'échapper dans des rêves. L'enfant peut entrer dans un monde totalement imaginaire pour éviter le réel qui représente pour lui trop de souffrances : le réel de son propre corps, le réel de la communion brisée, le réel avec sa mère trop instable ou les relations avec son père colérique, etc. Tout cela est trop dur pour l'enfant, il est trop faible. Son imaginaire est une extraordinaire protection contre la souffrance et contre la réalité. Ainsi l'enfant fuit dans ses rêves. Il se crée son propre univers à l'abri des souffrances. Il se cache dans ses jeux qui ne sont plus des jeux de communion mais des jeux de compétitions où il veut gagner. Il oublie ses souffrances intérieures.

Quand l'enfant découvre que la communion est difficile et source de souffrance, il vit une expérience de mort intérieure, il a le sentiment de n'avoir aucune valeur. Naît alors ce sentiment de culpabilité qui est le sentiment le plus douloureux pour l'enfant et sans doute ce qu'il y a de plus enraciné en chacun de nous, car nous avons tous vécu ce moment de brisure de la communion qui est source d'angoisse et de culpabilité. Les psychologues américains l'appellent *shame* :

la honte. Personnellement, j'aime mieux garder le terme de culpabilité : si on n'est pas aimé, c'est qu'on est mauvais, coupable de quelque chose. Certes, c'est une culpabilité psychologique et non morale. Naissent alors à l'intérieur de l'enfant les premiers manques de confiance en lui-même. C'est ce sentiment de culpabilité qui va rejaillir sur toute sa vie, en lui donnant une image blessée de lui-même.

Cette culpabilité peut devenir encore plus grande lorsque l'enfant développe un sentiment de colère et un désir de vengeance par rapport à ses parents, quand il a dû se protéger de leurs colères ou désirs possessifs. Ses colères à lui sont signe de vie mais elles lui font peur aussi. Il découvre alors un loup à l'intérieur de lui, capable de tuer et de faire du mal. Ce sentiment va renforcer sa culpabilité. Il va détecter à travers ses cris de rage que ce loup ne veut communiquer avec personne : « Je ne veux pas l'amour ! je déteste l'amour ! je déteste maman ! je déteste papa ! je déteste mon petit frère ! je veux casser ses jouets ! » Le monde n'est plus un lieu de communion ; il est un lieu hostile. L'enfant doit se défendre des forces qui l'agressent ; alors, il agresse, il contre-attaque. Comme l'ont montré certains psychologues, les contes de fées sont nécessaires à l'enfant pour exorciser le méchant loup qui se cache en eux.

Plus grave que la colère et l'agressivité chez l'enfant qui se défend, il y a la culpabilité à l'état pur. L'enfant cherche alors à se supprimer, à se faire du mal ; il est le fautif, il est trop mauvais. La colère se tourne contre lui-même dans des gestes autodestructeurs.

L'amour possessif

Nous avons accueilli à l'Arche certains hommes et femmes avec un handicap mental, devenus la proie de leurs mères angoissées. Le père est souvent absent ; la mère forte, dominante. Elle fait tout pour son enfant. Elle se croit aimante, car elle est toute dévouée pour son enfant, mais en fait elle l'écrase. Elle n'est pas capable d'écouter ses désirs, de l'aider à progresser. Y a-t-il comme un désir inconscient qu'il reste incapable et dépendant pour qu'elle puisse réaliser une belle œuvre, pour qu'elle soit une bonne mère ? Écraser la liberté de l'enfant par une affectivité débordante est parfois pire que l'abandon. Une telle mère sait manipuler son enfant, le faire agir par un sentiment de culpabilité ou par un désir de gagner de « bonnes choses ». Il s'agit alors des fausses communions, qui sont fusionnelles et étouffantes.

Je me souviens d'Alix, jeune fille qui était assistante à l'Arche. Je lui ai demandé comment elle avait vécu son enfance. Elle m'a dit qu'elle était d'une famille très aimante, qu'elle s'entendait bien avec ses parents. Sa famille était très religieuse, très estimée des autorités ecclésiastiques. Je lui ai alors demandé quelles études elle faisait. Elle me l'a dit. Je l'ai encore interrogé : « Pourquoi as-tu choisi cette voie ? » Elle m'a répondu : « C'est maman qui voulait que je fasse ces études. » Et au fur et à mesure que la conversation se prolongeait, je me suis aperçu qu'elle faisait tout ce que sa mère voulait et qu'elle ne savait absolument pas qui elle était, ni ce qu'elle désirait. Il est à craindre que cette jeune fille rencontre dans sa vie beaucoup de difficultés à entrer dans une vraie communion car celle qu'elle a vécu avec sa mère était manipulation. La mère angoissée voulait absolument la contrôler et se prolonger en elle pour accomplir des choses qu'elle-même n'avait pas faites. Cette jeune fille était en fait profondément blessée et d'une blessure parmi les plus graves, malheureusement très répandue, celle de la fausse communion qui l'empêchait de prendre les rênes de sa vie et devenir ce qu'elle était : un sujet, une personne libre.

Une jeune assistante de l'Arche s'est particulièrement attachée à Marie-Pierre, une femme avec un handicap. Elle a voulu la prendre chez elle en vacances, dormir dans la même chambre. Puis on s'est aperçu qu'elle devenait jalouse si d'autres donnaient le bain à Marie-Pierre. Celle-ci, au début, était heureuse de ce surcroît d'attention. Mais peu à peu, elle semblait perdre une certaine joie et spontanéité. Il y a ainsi des relations qui deviennent malsaines ; elles sont fermées ; il y a un manque de liberté et de joie. Certaines fausses communions provoquées par l'insécurité et la peur peuvent combler un vide intérieur et calmer l'angoisse ; elles deviennent comme une drogue. Ce n'est plus la communion faite de confiance et qui donne liberté.

L'amour trompeur

Je discutais, il n'y a pas très longtemps, avec un psychologue responsable d'un service dit de schizophrènes chroniques — je n'aime pas le terme — à l'intérieur d'un hôpital psychiatrique. Ce psychologue me disait : « C'est étonnant, j'ai découvert que tous les schizophrènes chroniques de mon service avaient été abusés sexuellement quand ils étaient petits. » Qu'est-ce que l'abus sexuel ? Papa est souvent colérique, il est difficile, il n'écoute pas ses enfants. Et puis il y a cet oncle, qui est gentil, qui éveille le cœur, qui touche avec affection et qui donne des cadeaux. Mais un jour, son toucher devient un toucher sexuel, il prend du plaisir dans le corps de son neveu ou de sa nièce, il essaie d'éveiller le plaisir sexuel de l'enfant, et ensuite il va dire : « Si tu rapportes quelque chose à ta mère ou à ton père, je te frapperai, je te tuerai. » L'enfant découvre ainsi cette nouvelle forme abominable de la fausse communion ; l'enfant qui prenait du plaisir dans les rencontres avec l'oncle réalise soudainement que la communion est ce qu'il y a de plus dangereux, que l'amour est faux. Il se produit alors une sorte de brisure à l'intérieur du cœur de cet enfant : ce qu'il désirait le plus, la communion, devient ce qu'il y a de plus dangereux et qui peut entraîner sa mort.

Il existe aussi toutes ces peurs chez l'enfant quand il y a un conflit autour de lui ; quand il y a séparation du père et de la mère et que chacun des deux cherche à l'attirer de son côté, à le séduire par des cadeaux. Le cœur de l'enfant est blessé, divisé. Il est confus. Très vite, il peut profiter de cette situation pour avoir plus de biens, pour tirer la couverture à lui. La division le blesse mais aussi le sert.

La peur d'aimer

Avec l'apparition de la blessure, de l'angoisse et de la culpabilité, nous assistons à la naissance d'un monde caché à l'intérieur de l'enfant. L'enfant va chercher à détourner son attention de ce monde de souffrance, à l'oublier, à le contourner, à l'éviter. Il va essayer de le repousser dans des zones secrètes de son être comme s'il n'avait jamais existé. Mais ce monde de souffrance reste à l'intérieur de lui, comme une sorte de maladie cachée. Ainsi, un mur s'établit entre ce monde refoulé et la conscience. Parfois ce mur est épais : c'est le mur d'une psychose, qui a ses origines, semble-t-il, dans le biologique et le psychologique. Le mur protège l'enfant. Il n'est pas une réalité seulement négative. Sans lui, il aurait pu mourir d'angoisse et de peur.

La force et la beauté de la nature humaine et de la vie résident dans cette énergie vitale qui continue à circuler malgré les souffrances et les murs ; l'enfant grandit ; il avance ; il doit vivre et survivre. Il doit dépasser ce poids, ce goût de mort à l'intérieur de lui. Les énergies ne circulent plus au niveau de la relation, de la communion : celles-ci sont trop dangereuses. Elles vont se tourner vers des acquisitions et des activités pour prouver qu'il est quelqu'un, qu'il réussit, qu'il est admirable pour lui-même, pour ses parents et l'entourage.

C'est ainsi que va apparaître une souffrance profonde dans le cœur de chaque être humain — une ambivalence par rapport à l'amour. On veut la communion — le cœur à cœur — avec un autre être humain, mais on en a peur. Elle apparaît comme le lieu secret du bonheur, car, au moins à un moment, l'enfant avait goûté à ce bonheur. Mais elle apparaît aussi comme un lieu de mort, de peur, de culpabilité, car l'enfant a vécu la communion brisée, et les fausses communions — manipulation affective et possession qui ont étouffé son être et sa liberté. L'altérité apparaît alors comme dangereuse.

L'être humain est comme obligé de se détourner de la communion pour mettre ses énergies ailleurs. Alors on nie la communion, elle n'est pas possible. Elle devient un jeu sans fondement. Sartre, dans *L'Être et le néant*, affirme que l'amour est un mirage, créé par un mauvais génie. Il a l'apparence du bonheur, l'apparence d'une lune de miel mais en réalité l'amour c'est une lutte, une conquête, une liberté qui va manger une autre.

La communion est-elle possible ? Est-elle un mirage créé par un mauvais génie ; ou est-elle le lieu d'une présence de Dieu ? C'est la question fondamentale de l'être humain en quête d'unité, de paix, de liberté, de lumière, d'amour, mais qui est découragé par toutes les forces opposées qui se trouvent en lui et autour de lui.

Être le meilleur

Chaque être humain — et je dis bien : chaque être humain — a fait l'expérience de cette communion brisée, fausse ou impossible. À l'intérieur de chacun il existe ce monde oublié fait de souffrance, de mort et de culpabilité. La blessure de chacun, cependant, est plus ou moins grande. Mais il y a une connivence entre ceux qui vivent l'échec : le clochard, l'homme alcoolique, appauvri, l'homme ou la femme en dépression, et ceux qui œuvrent inlassablement pour leur succès personnel, voire pour de grandes causes : le P-DG, hommes et femmes politiques, stars, militants, etc. Malgré les apparences, le fondement de leur psychisme, avec toutes sortes de variantes et de nuances, est identique. Dans un cas, c'est la dépression qui a amené à la boisson, à la déchéance, à ce sentiment d'être victime et, dans l'autre, c'est également la dépression qui a produit comme un besoin impérieux de sauver les autres, d'être un héros, d'être reconnu, à trouver son identité dans l'admiration, le pouvoir et le succès.

Ce malaise intérieur, cette culpabilité, ce sentiment de non-valeur, ce sentiment de mort, est comme un moteur qui pousse l'être humain à l'activité, pour racheter ce sentiment de culpabilité, et pour se prouver qu'on fait partie d'une élite, qu'on est parmi les meilleurs. Ce besoin de gagner des prix, de monter l'échelle de la promotion humaine peut commencer dès l'enfance et se poursuivre toute une vie. Si l'enfant est le premier en classe ou en sport, ses parents vont être contents. Il va bénéficier d'une situation assurée. Ce besoin de gagner se réalise aussi, comme nous l'avons vu, à travers le groupe auquel on appartient. Cette recherche constante de succès amène nécessairement des troubles sur le plan relationnel.

L'image blessée de soi-même est une réalité personnelle causée par les souffrances de la vie relationnelle entre l'enfant et ses parents. Elle est aussi une réalité culturelle et sociologique, plus ou moins transmise par les souffrances des parents et par la culture. Il y a des groupes de personnes opprimées qui ont toujours été méprisées à cause de leur race, leur religion, leur statut social, leur ethnie. Ce mépris affecte leur image d'elles-mêmes et crée parfois ce sentiment de honte.

Le mur intérieur

Le mur psychique qui a été créé autour du cœur vulnérable de chacun de nous pour cacher et faire oublier nos blessures, notre pauvreté fondamentale, permet à chacun de vivre et de survivre, de ne pas s'enfoncer dans un monde de dépression et de révolte. À partir de ce mur, et poussé par le besoin d'oublier ce monde douloureux à l'intérieur de soi et de se prouver, chacun avance sur le chemin de la vie vers des acquisitions, et une reconnaissance de soi... ou bien il sombre dans des attitudes dépressives.

Derrière le mur, caché dans l'inconscient, il n'y a

pas seulement des aspects négatifs, fruit de la communion brisée, il y a aussi la quête fondamentale de la vraie communion, et des énergies latentes — qui dorment — faites pour aimer. Derrière le mur, il y a ce qu'il y a de plus blessé et de plus sale dans l'être humain mais aussi ce qu'il y a de plus beau ; il y a un potentiel de joie, d'amour mais aussi une peur énorme de l'amour et des souffrances liées à l'amour. L'être humain agit souvent à partir de ce mur — c'est son moi agressif, en quête de reconnaissance, qui fuit subtilement tout ce qui risque d'échouer et de le dévaloriser. C'est ainsi que ses actions sont empreintes d'une forme d'égoïsme farouche qui colle à la peau. Il agit pour se prouver, pour augmenter l'image positive de soi, pour sa gloire. La plus grande peur de l'être humain est de ne pas exister, d'être dévalorisé, jugé, condamné, rejeté comme mauvais. Sous certains angles, les philosophes pessimistes ont raison : l'être humain est en lutte constante pour gagner à tout prix — et au prix de dévaloriser d'autres — le succès et l'admiration.

Ce mur coupe l'être humain de sa propre source. Il n'est plus comme les oiseaux, les poissons de la mer, le monde végétal qui grandissent et donnent vie à partir de leurs propres sources. Les animaux ne portent pas de masque ; ils ne sont pas conditionnés par un besoin de succès, d'être applaudis, reconnus. Chaque vivant vit d'une façon simple et transparente. Certes, il peut avoir peur d'un danger, mais chacun paraît avoir confiance en lui-même pour être ce qu'il est. Il semble que la blessure du cœur humain l'empêche d'être tel qu'il est, tout simplement. Il devient un être compétitif cherchant à prouver qu'il fait partie de l'élite et cachant ses propres limites, ou il devient victime, manquant de confiance en lui-même, assoiffé de tendresse. Coupé de sa propre source, il est coupé de la source de l'univers. Il n'est plus au service du tout, de l'univers, il est au service de lui-même ou il sombre dans la dépression.

Ce mur est le point de départ de toutes les activités de force, de pouvoir et de connaissance qui incitent l'être humain à être satisfait de lui-même. Il se fortifie par tous les mécanismes de défense et de protection qu'il crée autour de sa vulnérabilité. Il y a des hommes d'affaires épris de leurs propres projets et qui sont incapables d'écouter leur femme ou leurs enfants ; incapables même de comprendre les souffrances, les besoins d'un autre. Ils sont enfermés derrière leur projet, la seule chose qui les fait vivre.

Le mur, la morale, les choix

Ce mur, plus ou moins fermé, plus ou moins solide, c'est l'histoire de chacun qui le détermine. Ce n'est pas un mur en brique. C'est un mur *psychique* qui cache tout ce que l'enfant n'a pas pu supporter. Il est plutôt comme une vitre sale qui permet plus ou moins à la lumière de passer. L'enfant, l'adolescent, peut saisir par l'intelligence, soutenue par l'éducation, qu'il y a des choses bonnes à faire et des choses à ne pas faire. Aider une vieille femme tombée à terre à se relever. Ne pas prendre pour soi ce qui appartient à un autre. Il peut saisir à partir de sa première relation avec sa mère, à partir de cette première communion, que sa mère aussi est une personne qui a des joies, des peines, qui a un cœur qui peut être blessé. Ainsi, il peut reconnaître la valeur, l'importance de toute personne humaine et le besoin de respecter chacun.

Par son intelligence, il peut voir qu'il y a de bonnes choses à faire, des mauvaises à éviter, qu'il y a des personnes autour de lui qui ont un cœur et des besoins. Il peut même être attiré vers la générosité, la bonté, surtout s'il a vécu dans une famille où la bonté régnait. Il peut alors faire des choix pour aller vers les œuvres de bonté, de justice, de vérité, de lumière. Comme il peut refuser d'aller sur ce chemin, attiré par d'autres réalités. Mais même s'il se dirige vers les œuvres de bonté, il risque d'être soutenu par ses besoins d'être reconnu et confirmé par d'autres. Toujours cet égoïsme qui colle à la peau, ou ce besoin d'être reconnu et admiré...

Il faut reconnaître que certains enfants ont trop souffert. Les barrières autour de leur cœur sont trop fortes ; leurs besoins d'être reconnus, d'avoir la mère et le père aimants qu'ils n'ont jamais eus sont trop puissants. Ils ont dû trop se protéger. Peut-être un jour auront-ils une expérience — un flash de lumière — qui les aidera à découvrir que la communion et l'amour existent ; qu'eux-mêmes sont aimés tels qu'ils sont. Une rencontre fortuite avec une assistante sociale, un visiteur de prison, un autre détenu... quelqu'un qui verra du bon en eux. Ce sera une révélation. Ce mur psychique n'est pas immobile, fixé et rigide ; il peut évoluer et changer. Le mur peut progressivement s'affaiblir pour que la personne soit en relation avec sa source.

Derrière le mur : le monde caché de l'inconscient

Ce monde refoulé que l'enfant n'a pas eu la force de porter ou de supporter demeure caché dans le fond de l'être humain. La conscience n'y a pas accès. Tout semble oublié. Pourtant, il continue de contrôler nombre d'activités humaines. Il se manifeste à travers des colères et des peurs paniques d'être abandonné, écrasé, ou étouffé par l'autorité ; par une incapacité à trouver la bonne distance dans une relation : on est soit trop près, soit trop loin. Par une incapacité à voir et à comprendre les besoins d'autrui. Par des moments de folie, de dépression ; par une incapacité d'être en harmonie avec d'autres ; par des colères irraisonnées en face de certaines personnes.

Derrière le mur, il y a ce monde d'angoisse dont on a peur et qu'on refuse de regarder. On n'arrive pas à accepter les pauvretés, les peurs, la vulnérabilité qui s'y sont cachées. On nie l'existence d'une partie de soi — cette partie où on a été blessé et où on demeure fragile, faible. C'est le même processus qui nous fait ignorer l'existence de certaines personnes appauvries et en détresse, et qui nous fait nier le pauvre en détresse à l'intérieur de soi. Les murs épais à l'extérieur de soi trouvent leurs sources dans cette séparation à l'intérieur de soi. La saleté des bidonvilles et des prisons est à l'image de notre saleté intérieure. Mais comment accueillir le pauvre tant à l'extérieur qu'à l'intérieur de soi ?

3

Difficultés de la relation

Les conséquences de cette blessure primordiale du cœur de l'être humain et particulièrement la construction du mur psychique sont manifestes et dommageables dans les relations avec autrui. Nous aimons communiquer avec des gens qui nous flattent, nous reconnaissent et admirent nos dons. Mais nous avons tous peur des personnes qui ne nous reconnaissent pas, qui n'ont pas confiance en nous, qui ont peur de nous, qui nous jugent et même nous mettent en cause, car ils perçoivent nos failles derrière les masques et les personnages que nous avons fabriqués avec soin.

Je vois bien maintenant que dans la marine, j'étais épris de succès et de la reconnaissance des supérieurs ; j'aimais l'idéal et la force qui allaient avec cette vie. Mon premier souci n'était pas les personnes. De même, en quittant la marine, je voulais me donner à *un idéal* de paix et de vie chrétienne ; je voulais apprendre la philosophie, la théologie ; mais ce n'était pas d'abord *des personnes* qui m'intéressaient. J'aimais un idéal et non des personnes. Certes, je voulais suivre Jésus, le connaître, l'aimer mais plus pour un idéal de vie que pour vivre la communion. Il m'a fallu du temps pour découvrir toutes les blessures relationnelles à

83

l'intérieur de moi, toutes mes peurs d'autrui. Commander, oui ; enseigner, oui ; obéir, oui ; apprendre, oui ; mais être en communion avec d'autres, être vulnérable par rapport à eux m'était beaucoup plus difficile. Je fuyais des personnes par idéal ! Un temps de formation spirituelle et intellectuelle m'était nécessaire pour me fortifier intérieurement, pour pouvoir atterrir sur la terre des vivants et des personnes, apprendre à les écouter, à les aimer et à devenir ce que je suis en réalité. J'ai encore aujourd'hui des difficultés à communiquer, à ne pas me cacher derrière un idéal. Je me ferme facilement sur moi-même ; les murs en moi étaient solides (peu à peu ils deviennent un peu moins solides, c'est un long travail !). Il y a sûrement une immense vulnérabilité et de grandes peurs cachées derrière ces murs. Je vois toujours comment une colère peut monter en moi quand, dans une conversation, je découvre l'autre fortifié dans des positions intellectuelles, politiques, sociales, philosophiques, religieuses radicalement différentes des miennes, et qu'il m'agresse. S'il n'y a pas une communion ou une attraction plus profonde que ces positions différentes, je vois monter en moi mes systèmes de défense et des attitudes agressives. Je détecte que le ton même de ma voix change. Ce n'est plus un ton d'accueil, d'ouverture, d'écoute, de tendresse, mais un ton plus grave, plus agressif. Pourquoi ces systèmes de défense se mettent-ils en place ? Est-ce par peur de ne pas avoir raison, peur d'avoir tort, d'être condamné ? Peur qu'on touche à des préjugés irrationnels en moi ? Peur qu'on pense que je suis enfermé dans une idéologie qui me sert ?

Il y a parfois en moi une énergie forte, non canalisée. Elle apparaît comme angoisse ou agitation. Elle me pousse à faire des choses, à organiser ou réaliser des projets. Il m'est alors difficile de demeurer, d'être tout simplement, et d'être en relation, ouvert et accueillant à l'autre, vulnérable par rapport à lui, paisible et silencieux. Je ne connais pas toujours l'origine de cette angoisse, parfois elle est biologique ou physique (le foie ?), parfois psychologique, parfois spirituelle. Mais elle est là, comme un moteur qui marche, ne sachant pas comment, ni pourquoi, ni dans quel but. Elle pousse à agir. Quand je fais quelque chose, j'ai moins conscience de cette angoisse. La relation de communion est alors difficile, sinon impossible.

Dans ces moments je comprends la personne atteinte d'un psychose. Quand il y a trop d'angoisse, trop de confusion intérieure, il faut se couper de la relation ; celle-ci semble augmenter l'angoisse ; elle est révélatrice d'une incapacité d'accueillir paisiblement un autre. Alors on la repousse et on se ferme derrière des murs.

À d'autres moments ma tête est tellement remplie d'idées, de projets, et de problèmes que je n'arrive pas à accueillir l'autre, à l'écouter ; je passe à côté de la beauté et des personnes.

Le jugement qui sépare

Durant une réunion où j'étais présent, quelqu'un reconnaissait ses difficultés relationnelles : « Soit je vois vite les failles de l'autre, je le juge, je le critique, je le rabaisse, je me sens supérieur ; soit je me sens inférieur ; je vois toutes les capacités et richesses qu'il a et que je n'ai pas, et j'en suis jaloux ; je veux alors me rapprocher de lui pour lui prendre ses richesses, l'utiliser pour mon bien. J'ai des difficultés à entrer en relation d'égal à égal, en communion avec l'autre, recevant et donnant, tout simplement. »

Nous jugeons l'autre si vite ! Nous avons une capacité étonnante à voir les failles de l'autre, mais tant de difficulté à voir et à accepter nos propres failles. Par le jugement nous nous séparons de quelqu'un ; nous mettons un mur entre nous ; nous dominons, nous nous considérons comme supérieurs. Il est évident que nous avons tous peur de celui qui, par sa présence, ses qualités, ses attitudes et ses paroles, nous révèle nos manques et par là nous dévalorise à nos propres yeux, nous faisant toucher nos blessures, éveillant notre culpabilité. Nous devons alors juger ces personnes, les dévaloriser, nous séparer d'elles, avant que nous soyons jugés par elles !

Nous sommes des êtres de relation tant que la relation nous sert, tant que nous sommes flattés, confirmés ; tant que cette relation éveille en nous des forces ou des énergies de vie. Mais dès qu'un malaise apparaît, que nous sentons plus ou moins confusément que nous sommes jugés par l'autre, c'est la peur et la fuite.

Je suis émerveillé par une parole perspicace de Jésus : « Ne cherchez pas à ôter la paille de l'œil d'un autre quand vous avez une poutre dans votre propre œil. Insensé : ôtez la poutre de votre propre œil et ainsi vous verrez clair pour ôter la paille de l'œil d'un autre [1]. » Nous sommes tous pareils. Il est facile de voir les faiblesses de l'autre mais le mur psychique nous empêche de voir nos propres faiblesses. Il y a une poutre dans l'œil de chacun, qui nous conduit à nier nos blessures, nos pauvretés. Nous sommes aveugles par rapport à nous-mêmes.

---

1. Mt 7, 3-5.

La peur d'ouvrir nos cœurs

Les relations superficielles sont faciles : on discute politique, cuisine, sport. C'est comme un passe-temps ; on remplit le vide. On fait des choses ensemble : sport, loisirs, cinéma ; on collabore dans le travail ou dans des activités religieuses, politiques, sociales, etc., mais la porte de nos cœurs peut rester solidement fermée. On ne laisse pas l'autre s'approcher réellement de soi. On ne s'ouvre pas. On ne devient pas vulnérable vis-à-vis de l'autre. On ne révèle pas vraiment qui on est. Surtout on ne révèle pas sa vulnérabilité, sa fragilité.

Cela peut être vrai dans les activités professionnelles et celles de générosité. On fait des choses pour les autres, de bonnes choses même ; on les enseigne, on les soigne, on leur donne de l'argent, mais le cœur demeure fermé. On reste un supérieur qui traite un inférieur. Cette attitude peut, certes, être nécessaire dans certains cas. Le médecin ne doit pas dévoiler ses propres besoins à chaque malade ; il a un travail à accomplir. Par contre, le médecin qui n'écoute pas réellement, qui ne perçoit pas l'angoisse et la souffrance profondes de son malade, qui n'a pas le temps de l'accueillir tel qu'il est et de le comprendre, ne sera pas un bon médecin. Si on reste sur un piédestal professionnel, si on n'accueille l'autre que dans sa tête, refusant de l'accueillir par le cœur et la compassion, on ne pourra pas bien le soigner. L'attitude de compassion implique qu'on se laisse toucher par l'autre, par ses souffrances, par le cri de son être. L'autre se sent alors compris et aimé en lui-même ; il va ouvrir son cœur ; il a confiance. La thérapie risque alors d'être véritable, la guérison plus proche. Mais l'attitude de compassion demande du temps, de la patience, de l'écoute ; elle demande la capacité d'accepter chaque personne telle qu'elle est, le pauvre comme le riche, le gratifiant et le non-gratifiant, le confrère ou l'étranger, le semblable et le différent. On soigne alors la personne et pas seulement la maladie ou une partie du corps.

Nous avons tous rencontré ces hommes et ces femmes épris de leur travail, fixés, rigidifiés derrière leurs compétences, dans leurs idées, leurs livres, incapables d'écouter, incapables surtout de vivre la communion. De quoi ont-ils peur ? Pourquoi restent-ils à distance des gens ? Peut-être la relation les trouble-t-elle ? Peut-être ont-ils en eux ces peurs d'une relation qui manipule, écrase ou étouffe ? Ils ont dû se défendre en créant des barrières profondes contre des relations trop envahissantes.

La communion est dangereuse pour une personne qui se sent trop faible, fragile et insécurisée. Elle a peur que si on s'approche d'elle avec bienveillance, on vienne vite toucher ses blessures, ses ténèbres, ses pauvretés, pour, finalement, la rejeter. Elle ne peut supporter l'idée de revivre un autre abandon et rejet. Il vaut mieux éviter toute relation que de risquer la souffrance d'un nouvel abandon. Il faut maintenir les barrières.

D'autres personnes ont peur d'entamer une relation par crainte de perdre le contrôle de la situation, par peur d'éveiller des désirs chez un autre qui s'accrocherait à elles, étouffant leur liberté et leur indépendance. Elles ont peur d'être mangées par le vide de l'autre, son besoin sans limites d'être aimé.

La relation peut également paraître dangereuse à cause des liens qui existent entre communion et sexualité. Certains hommes fuient les femmes à cause d'un manque d'intégration de leur propre sexualité. La rencontre avec une femme semble éveiller en eux une telle soif de communion qu'ils n'arrivent pas à vivre sans entrer dans un monde chaotique et sans limites. Ils se sentent obligés de se cacher derrière les murs du pouvoir et du savoir. Ils tendent alors à rabaisser les femmes, ou bien à les mettre sur des piédestaux où elles sont intouchables. La même chose peut se réaliser pour des femmes qui sont consciemment ou inconsciemment en quête d'amour et de tendresse. Elles fuient les hommes à cause de l'absence d'une certaine force et intériorité qui leur permettraient de maintenir la bonne distance dans la relation ; elles les fuient aussi car elles ont peut-être eu des expériences négatives avec des hommes qui ne cherchaient qu'une relation sexuelle ou une relation de communion-possession plutôt qu'une relation vraie.

D'autres se jetteront dans des relations, mais des relations apparentes. Il y aura des flots de paroles et de partages, même des relations d'intimité physique, mais ils ne pourront pas vraiment s'engager dans la relation car ils ont trop conscience de leurs propres blessures et de leur non-amabilité. Ont-ils peur des souffrances qui viennent avec l'engagement ? Ont-ils peur de s'ouvrir et ainsi de perdre une certaine liberté ? On m'a parlé récemment d'une jeune femme, professionnellement compétente, qui a décidé de ne jamais entrer en relation avec un homme, de ne pas perdre son temps dans le monde affectif. Avait-elle trop peur de devenir vulnérable par rapport à quelqu'un et de lui ouvrir son cœur ? Entrer dans le va-et-vient de la communion est chose dangereuse. C'est une souffrance si terrible que d'ouvrir son cœur puis d'être rejeté. Mais peut-être cette jeune femme avait-elle peur de ne pas pouvoir aimer ? Manquait-elle de confiance en elle-même ? Avait-elle peur d'être entraînée là où elle ne voulait pas, peur de faire confiance, peur de perdre le contrôle ? N'est-ce pas mieux de se barricader contre ce monde émotionnel qu'on a du mal à contrôler ? Dans le monde relationnel, il n'y a jamais de sécurité absolue. De toute façon, toute relation se termine, au moins physiquement, par la mort. La mort, n'est-elle pas cette séparation absolue, horrible ? On peut comprendre cette jeune femme. En même temps, en se fermant sur elle-même et ses capacités, elle va se priver de ce qu'il y a de plus beau dans la vie humaine : la communion des cœurs. Et puis, si un jour elle perd son travail, si elle se trouve incapable d'exercer son métier à cause d'une maladie ou d'un affaiblissement, que lui restera-t-il ? L'amitié est un risque, mais la vie n'est-elle pas risquée ? L'amitié n'est-elle pas une force qui nous est donnée quand on est en bonne santé mais surtout aussi quand nous devenons plus pauvres et plus faibles ?

Il y a aussi les personnes qui sont en quête constante de tendresse. Si elles ne sont pas objets d'attention aimante, elles semblent tomber dans l'angoisse, elles ne vivent plus. Il est difficile de vivre une vraie communion avec elles car elles tendent à manipuler les autres, même à développer des maladies psychosomatiques pour attirer l'attention sur elles.

La peur du pauvre qui crie

Un jour sur le boulevard Saint-Germain à Paris, une femme m'accoste : « Donne-moi dix francs ! » Je m'arrête. « Pourquoi avez-vous besoin de dix francs ? — Je n'ai pas bouffé ! — Pourquoi n'avez-vous pas bouffé ? » Alors elle commence à me parler. Elle venait de sortir d'un hôpital psychiatrique. Elle me parle un peu de son passé, de sa famille. Soudainement, j'ai réalisé que si je continuais la conversation qui prenait un ton personnel, je risquais de dépasser le point de non-retour dans la relation. Je serais comme obligé de lui donner du temps, probablement beaucoup de temps. J'ai pris peur. Je lui ai donné dix francs et je suis parti.

Pourquoi cette peur ? C'était une femme avec de grandes attentes, en grave difficulté personnelle, une femme seule qui avait vécu probablement maints abandons. Il lui fallait beaucoup de temps et moi, j'avais mes rendez-vous. Si souvent nous mettons nos projets, nos programmes comme excuse pour ne pas venir au secours du pauvre. C'était le cas du prêtre et du lévite dans cette parabole du bon Samaritain. C'était aussi mon cas. Mais mes peurs venaient peut-être aussi du fait que je craignais de ne pas réussir, de ne pas pouvoir l'aider, ou, plus profondément, que si j'entrais dans la relation et l'écoute, j'éveillerais en elle des besoins auxquels je ne pourrais pas répondre, des besoins à l'infini. Cette femme avait peut-être besoin d'un homme qui serait père, mère, assistant social, ami, frère et pourquoi pas, mari. Son cri affectif était comme un gouffre sans fin, le cri du petit enfant en elle hurlant pour son père et sa mère qui l'ont abandonnée ou qui l'ont maltraitée. J'avais peur que ma vie soit engouffrée dans l'immense abîme de ses besoins, peur de perdre ma liberté, mon être. Peut-être aussi tout simplement que je ne voulais pas être dérangé ; j'avais mes propres problèmes et difficultés. Je ne voulais pas m'ouvrir aux souffrances d'un autre. « On est mieux chez soi. » Peut-être qu'elle aussi de son côté avait peur. Peut-être se demandait-elle qui était cet homme qui entrait peu à peu dans une relation avec elle et l'écoutait avec sérieux. Peut-être avait-elle déjà été trompée mille fois par des hommes ; elle avait mis son espérance en quelqu'un puis cette personne était partie. Peut-être paniquait-elle devant une relation, craignant que l'autre découvre combien elle était moche, et qu'il ne l'abandonne... encore une fois. Ses systèmes de défense pouvaient l'empêcher d'entamer une relation. Peut-être étions-nous sujets l'un et l'autre aux deux formes de panique les plus fondamentales au cœur de l'être humain : la peur de l'abandon et la peur d'être dévoré par l'autre.

La relation qui provoque l'angoisse

Une expérience douloureuse à l'Arche m'a révélé d'une façon puissante ce monde de ténèbres qui demeure en moi. Il s'agit de Lucien, un homme avec un handicap très lourd, son corps paralysé, sans parole, incapable de marcher ou de s'occuper de lui-même, incontinent. Pendant trente ans, il avait vécu avec sa mère qui s'était occupée de lui avec beaucoup de patience et de tendresse. Elle le comprenait. Elle déchiffrait chacun de ses moindres gestes ou cris. Elle y répondait avec amour. Elle était la seule personne qui l'avait touché pendant trente ans, son père étant mort quand il était jeune. Un jour, la mère a dû être hospitalisée, il a fallu alors hospitaliser Lucien, car il n'y avait personne pour s'occuper de lui. Lui ne comprenait rien. Il était soudainement séparé de celle qui l'aimait ; il était plongé dans un monde effroyable de détresse. Se sentant abandonné, il hurlait son angoisse. C'est ainsi qu'il est venu à l'Arche. Quand j'ai quitté la responsabilité de la communauté, j'ai passé une année dans le foyer de La Forestière, qui a accueilli Lucien et neuf autres personnes avec de lourds handicaps. Parfois, Lucien entrait dans ce monde d'angoisse. On ne savait pas exactement ce qui déclenchait la crise, mais il hurlait sans cesse. Ses cris d'angoisse avaient un ton très aigu ; ils pénétraient en moi comme un glaive. Je ne les supportais pas. Peut-être réveillaient-ils en moi la mémoire de ces angoisses et hurlements que j'avais quand j'étais petit ? On ne savait pas comment arrêter Lucien, comment l'aider, le soulager ; on ne pouvait rien faire. Son corps devenait tendu, crispé. Nous ne pouvions pas l'approcher ou le toucher. Et nous ne voulions pas lui donner de médicaments durant ces crises. Il fallait attendre. Or je voyais monter en moi non seulement mes propres angoisses, mais également de la violence et de la haine. Un monde chaotique se réveillait à l'intérieur de moi. J'aurais parfois aimé le supprimer, le jeter par la fenêtre. J'aurais aimé fuir, mais je ne pouvais pas car je portais une responsabilité dans le foyer. J'étais rempli de honte, de culpabilité, de confusion.

Évidemment, étant entouré d'autres assistants, je ne pouvais pas lui faire de mal, le frapper ; mais j'ai pris conscience du fait qu'il y ait tant d'enfants battus par leur mère ou leur père qui doivent être hospitalisés dans un état grave. Une mère seule, avec deux ou trois enfants, abandonnée de son mari, dépressive, ayant beaucoup de difficultés pour vivre et travailler, est dans un tel état d'insécurité et de fragilité ! Elle a du mal à supporter ses enfants qui crient pour demander la relation, la communion et la tendresse. Elle ne peut leur répondre, leur donner la tendresse dont ils ont besoin, car son puits affectif est vide. Les enfants continuent à la provoquer ; ils crient pour l'amour. Sans qu'elle le veuille vraiment, son angoisse jaillit en violence ; elle frappe parce qu'elle n'en peut plus. Puis elle éclate en sanglots.

Il y a aussi des gens qui, par leur simple présence, sans qu'ils le veuillent, provoquent l'angoisse chez un autre. Ils éveillent un monde de ténèbres chez l'autre. Une femme frustrée parce qu'elle n'a pas été aimée comme femme et qui a dû mettre toutes ses énergies dans la réussite professionnelle aura du mal à supporter une jeune femme belle, recherchée, entourée. La seconde révèle à la première ses manques et ses failles. Une personne qui a subi de nombreux échecs tout en ayant beaucoup travaillé aura du mal à subir une autre qui réussit sans travailler. Un homme rigide, moralisant, ayant dû lutter contre ses propres désordres sexuels aura du mal à supporter une personne ouverte et, semble-t-il, très libre dans ses rapports. Une personne qui a beaucoup souffert de parents autoritaires, contrôlants, rigides, est souvent mise en difficulté par toute personne autoritaire. Une jeune femme qui a été abusée sexuellement par son père est mise en difficulté lors des relations avec des hommes qui peuvent ressembler à son père. Peut-être ces personnes ne pourront-elles analyser lucidement les causes de ces peurs et angoisses en face de l'autre ; mais elles les vivront et risquent de le rejeter avec violence.

J'ai personnellement, par formation et par expérience, un mode de leadership fort et efficace. Je peux prendre rapidement des décisions. Ce mode de gouvernement est apprécié et admiré par certains, mais j'ai découvert que cela pouvait en mettre d'autres profondément mal à l'aise. Ma présence, ma force éveillaient en eux des angoisses que je ne soupçonnais pas. Ma façon de faire les rabaissait, les confirmait dans un sentiment d'impuissance et de non-valeur. Sans qu'on le veuille, notre être et nos attitudes provoquent des peurs et des angoisses chez d'autres.

La peur de l'ennemi

Cela m'amène à parler de l'ennemi. Quand je parle de l'ennemi, je ne parle pas de l'ennemi de guerre. Je parle de la personne proche, dans ma famille, ma communauté, mon voisinage, qui provoque en moi la peur, qui me bloque, qui semble m'empêcher de m'épanouir et de cheminer vers la liberté. Cette personne semble m'étouffer, m'écraser, m'ôter la vie. C'est une personne que je voudrais voir disparaître de la planète afin que je puisse trouver la liberté !

Lucien était pour moi cet ennemi. Ces cris d'angoisse réveillaient mes propres angoisses, angoisses qui semblaient remplir mon thorax, faire battre mon cœur avec violence, rendant difficile ma respiration ! Cette angoisse déclenchait des sentiments de haine et de violence sans que je le veuille. Je n'ai jamais frappé Lucien, le faible, parce que je n'étais pas seul ; j'étais dans un milieu qui me protégeait, un milieu qui m'appelait à agir selon certaines règles, sinon j'aurais été déshonoré, jugé, mis dans un état de honte. Je ne dis pas que, si j'avais été tout seul, j'aurais frappé Lucien, mais il est évident que la communauté, avec ses règles et mon besoin d'honneur m'ont aidé à contenir cette violence. Cette expérience douloureuse que j'ai vécue avec Lucien m'a rendu solidaire de beaucoup d'hommes et de femmes en prison. Leur violence s'est déclenchée, mais ils n'ont pas été protégés par tout un milieu qui favorisait des règles humaines. Leur violence les a alors amenés à tuer, à faire du mal. Eux, ils ont été condamnés, humiliés. Moi, j'ai été protégé. Mais dans le fond, il n'y a pas de différence entre nous. Il y a la même capacité de faire du mal à un faible. Quand nous découvrons nos capacités de haine et nos capacités de faire du mal, c'est très humiliant. Nous ne sommes pas une élite, loin de là ! Les gens qui nous louent pour notre travail auprès des personnes avec un handicap nous plongent dans une confusion encore plus grande, car non seulement nous sommes des violents, mais nous pouvons être aussi des hypocrites qui portons des masques.

En même temps, cette humiliation est une bonne chose. Elle nous amène à toucher notre vérité, notre pauvreté. Et seule la vérité peut nous rendre libre. C'est seulement quand nous acceptons de voir et de regarder ce monde perturbé en nous que nous pouvons aller cheminer vers la liberté. Peut-être découvrons-nous alors que l'ennemi n'est pas l'autre, l'étranger, mais nos propres démons intérieurs. L'ennemi est en moi. Le problème n'est pas l'autre ; il est en moi. Comment ôter la poutre de mon propre œil afin d'ôter la paille dans l'œil de l'autre ? Comment accueillir ma propre blessure et ne plus porter un masque ?

Les attentes qui empêchent la communion

Une femme mariée m'a dit un jour : « Je vis aujourd'hui avec un homme, mais il n'est pas le même que quand nous nous sommes mariés. » Elle a continué : « À ce moment-là, il courait après moi, il était plein de vie et d'intérêt pour tout ce que je faisais. Maintenant, il est en dépression. » Comme il est difficile d'accueillir les gens tels qu'ils sont avec tout ce qui est beau et blessé en eux. Des parents attendent beaucoup de leurs enfants ; les époux attendent beaucoup l'un de l'autre. À l'Arche, un responsable de foyer attend beaucoup d'un nouvel assistant. Si, vite, on crée une image de l'autre, et s'il ne correspond pas à cette image, on est déçu et on tend à le rejeter. N'est-ce pas ce qui se passe quand une maman donne naissance à un enfant avec un handicap ? Il ne correspond pas à ses rêves. Très souvent, elle ne peut l'accepter. L'image qu'on a de l'autre, ou l'image de ce qu'on voudrait qu'il soit, empêche la communion. Celle-ci s'enracine dans la réalité, non dans des rêves. On ne peut communier avec quelqu'un que si on l'accepte tel qu'il est.

Chacun de nous, avec notre histoire, nos blessures, nous avons des difficultés relationnelles. Nous le savons. La question est de savoir comment, durant les différentes étapes de la vie, nous pouvons abattre ces murs qui nous séparent les uns des autres, pour créer la communion.

III

LES ÉTAPES DE LA VIE

1

L'enfant : l'âge de la confiance

L'enfant, un être de confiance

Je ne suis pas père de famille et je n'ai pas vécu avec des enfants, bien que dans certaines communautés de l'Arche, surtout celles de Haïti, d'Amérique latine, d'Afrique et des Philippines, nous ayons accueilli des enfants, et j'ai été amené à certains moments à les suivre dans leur développement humain. Ce que j'ai surtout constaté, c'est la nécessité pour leur croissance harmonieuse, d'un milieu de vie sécurisant et aimant. Finalement, la pédagogie que nous avons été amenés à vivre à l'Arche avec des adultes est une pédagogie universelle, applicable aux enfants et aux adultes selon des modalités différentes.

Dans notre communauté de Tegucigalpa (Honduras), nous avons accueilli Claudia, une enfant aveugle et autiste. Toute petite, elle avait été abandonnée à l'hôpital psychiatrique San Felipe. Elle est arrivée dans la communauté vers l'âge de sept ans, ayant perdu tous ses repères ; elle était déstructurée, fragmentée, dans une insécurité totale. Elle paraissait complètement folle ; elle hurlait la nuit et mangeait ses vêtements. Nadine, Régine et Dona Maria l'ont accueillie, avec Marcia et Lita qui avaient elles aussi un handicap mental. À travers les mois et les années, parfois pleins de difficultés et de conflits, Claudia a pu découvrir qu'elle était respectée et aimée, qu'elle avait une place. Elle a pu trouver sécurité et confiance. Aujourd'hui, près de vingt ans plus tard, elle demeure autiste et aveugle, mais elle est paisible et harmonieuse. Elle travaille dans l'atelier ; c'est une jeune femme sereine et, je crois, heureuse.

La vie de Claudia comme de tout être humain est une dialectique entre sécurité et insécurité : trop de sécurité étouffe : on ne vit pas, on est trop confortable, il n'y a plus de risque, on n'avance plus. Mais s'il y a trop d'insécurité avec des peurs et des angoisses, on ne vit plus non plus. Pour que l'enfant se développe harmonieusement, il faut que les peurs et les traumatismes soient réduits autant que possible : il a besoin d'une terre solide et rassurante. Cette terre, c'est d'abord la qualité de relation avec ses parents ou substituts parentaux et la qualité de relation dans le couple ; elle est ensuite tout le milieu de vie de l'enfant.

Comme l'enfance est la période d'acquisition, il faut que l'enfant puisse acquérir une chose après l'autre, sans contradiction. Il ne peut supporter qu'une personne lui dise une chose et une autre le contraire. Il a sa logique à lui, ce qui lui permet de saisir des contradictions, mais il n'a pas la force ou l'intériorité pour les supporter. Il lui faut une certaine permanence, régularité et cohérence. Comme il n'a pas de sécurité en lui-même pour avancer dans la vie, il a besoin de la trouver dans la confiance d'un autre, de ses parents, qui sont là pour le protéger, le guider, le confirmer et l'aimer.

Cette confiance fixe les bases de sa personnalité ; elle en est la racine. Elle lui permet de prendre assu-

rance et confiance en lui-même. Elle lui donne la stabilité, la force et les certitudes qui lui permettront peu
à peu d'accueillir et d'intégrer le réel, de découvrir
qui il est, quelles sont ses racines, sa langue, sa religion, les valeurs et les traditions de sa famille. Sachant
qui il est, il peut découvrir qui il est appelé à devenir.

Cette confiance demande communication et dialogue. L'enfant parle et exprime ses désirs non seulement par les paroles mais aussi par les cris, par son
corps, par tout un langage non verbal. En vivant à
l'Arche avec des hommes et des femmes dont beaucoup ne parlent pas, il nous faut être très attentifs à
ce langage non verbal. Si Claudia ne parlait pas, elle
exprimait ses désirs, sa colère et ses souffrances à travers son corps et ses cris. Si les désirs de l'enfant ne
sont pas entendus ou compris, à un moment donné il
ne les exprimera plus. Il se fermera sur lui-même ;
il mourra intérieurement. Pour vivre de la confiance,
l'enfant a besoin de se sentir compris. Il faut aussi que
les parents ou substituts parentaux lui parlent. La pire
chose pour un enfant, c'est d'éviter d'aborder certains
sujets avec lui parce que, dit-on, « il ne peut pas
comprendre ». Par exemple, on ne lui parle pas de la
mort de sa grand-mère. L'enfant vit alors dans une
certaine confusion ; le monde devient chaotique ; rien
n'a de sens ; mais si les parents évoquent avec lui les
questions qu'il se pose, lui parlent, il découvre ainsi
que le monde et la vie ont un sens. L'espérance est là.

L'enfant qui ne vit pas une relation de confiance et
à qui on ne dit rien, se trouve seul, terriblement seul.
Il se ferme derrière des murs de peur et d'angoisse. Il
perd contact avec la réalité et il doit cacher des choses,
mentir pour vivre et survivre. La dissimulation
devient une habitude. La seule vérité pour lui est celle
qu'il invente.

L'enfant a besoin d'éducation

Claudia avait besoin d'éducation pour l'aider à ne pas se fermer sur elle-même, ce qui, avec son autisme, était sa tendance naturelle. Il fallait lutter avec elle pour qu'elle ne se détruise pas mais qu'elle découvre sa valeur, sa beauté et ses capacités de croître. Quand on est convaincu qu'on n'est bon à rien, il faut beaucoup de temps et une vie relationnelle aimante pour découvrir le contraire.

Après plusieurs années de vie avec Nadine, Régine et Dona Maria, Claudia a trouvé une certaine paix. Mais les trois responsables n'avaient pas cru bon d'insister pour qu'elle participe au travail de la communauté. Encouragés par le médecin de la communauté, ils ont finalement décidé qu'elle devait prendre sa place parmi les autres pour les activités de la maison. Cela a provoqué une énorme crise. Claudia ne voulait pas sortir de son monde, où elle trouvait un certain confort. Plus un enfant est fermé sur lui-même, plus la crise va être grande quand on l'incitera à l'ouverture ; il a besoin de beaucoup d'aide, de fermeté et d'encouragement pour faire ce passage douloureux. Il a besoin d'avoir confiance dans l'adulte. On ne peut obliger l'enfant à grandir et à s'ouvrir par la peur. La peur ferme ; la confiance et la communion ouvrent. Aujourd'hui, Claudia travaille à l'atelier avec une certaine efficacité et une certaine joie.

Une des choses qui détruit la confiance est le double message. Celui-ci est la révélation d'un manque de cohérence chez l'adulte : il demande à l'enfant une chose, mais il vit l'opposé. Or, l'enfant agit le plus souvent en imitant l'adulte en qui il a confiance. S'il y a discordance entre vie et parole, l'enfant entre dans la confusion ; il ne peut avancer ; il est obligé de se fermer sur lui-même.

Il y a quelques années, j'ai interviewé, pour un film vidéo, de jeunes adolescents de quinze ans en difficulté. J'abordais avec eux des questions plus ou moins difficiles, jusqu'à ce que je leur demande : « Et la drogue ? » Trois d'entre eux avaient connu ce monde. Je les ai fait parler de leur expérience. « Comment vos parents, ont-ils réagi ? » « Ils ont été furieux », m'ont-ils répondu. « Et votre réaction par rapport aux colères de vos parents ? » Un des jeunes m'a regardé avec des yeux vifs et a dit : « Monsieur, mon père est alcoolique ! » Je sentais toute la colère en lui. C'est comme s'il me disait : « Comment est-ce que mon père ose être en colère contre moi quand lui-même est alcoolique ? » C'est cela le double message. Dire une chose, vivre une autre. Si le père avait dit : « Mon fils, ne fais pas comme moi. J'ai trop fait souffrir ta mère », cela aurait été *vrai* et le dialogue ouvert.

L'enfant voit tout, saisit tout, même s'il n'a pas les concepts et le langage qui lui permettent de verbaliser. Il saisit surtout les incohérences et les injustices. Celles-ci brisent la confiance.

Une des difficultés que l'on rencontre partout dans l'éducation et la vie auprès des personnes avec un handicap mental, c'est de les comprendre et de les rejoindre en s'adaptant à leurs capacités et à leur potentiel réel. Les traiter ni comme des incapables ni comme des personnes ayant toutes leurs capacités. Aux débuts de l'Arche, je suis tombé dans le piège, par ignorance. Il a fallu que j'apprenne à les écouter, à faire confiance à leur jugement. Si on les rejoint réellement, alors elles savent qu'elles peuvent faire confiance.

Une des difficultés pour les parents est de modifier l'éducation de leurs enfants selon leur croissance et leur âge. Parfois, ils traitent un enfant de sept ans comme s'il avait toujours quatre ans, ou un enfant de dix ans comme s'il avait toujours six ans. L'enfant est vite humilié, car il sent que ses parents ne l'écoutent et ne le comprennent pas, qu'ils n'ont pas confiance en lui. Combien de fois des parents n'aperçoivent pas des petits gestes de bonté et d'amour que leur manifeste l'enfant. Ce manque d'attention blesse l'enfant.

Mais quand l'enfant se sent aimé et compris, quand il sent que ses parents ont confiance, et trouve plaisir en sa présence, quand ils prennent du temps pour jouer, rire et dialoguer avec lui, alors l'enfant accepte bien plus facilement les observations, remontrances, voire punitions faites en vue de son éducation. L'enfant a besoin d'intégrer les limites de certaines actions. Il a besoin de découvrir qu'il y a quelque chose qui s'appelle la loi. Il y a des choses qu'il ne doit pas faire : il ne doit pas frapper son petit frère ! Comme il va découvrir qu'il y a des choses qu'il faut faire pour aider son petit frère ; il se réjouit alors de la joie qu'il donne, non seulement au petit frère, mais aussi aux parents.

Quand il n'y a pas d'éducation vraie, l'enfant sent qu'il est devenu maître de la situation. Il crie, il est violent ou il casse ses jouets, jusqu'à ce qu'il obtienne ce qu'il veut. Il sait comment faire pour attirer tout à lui. Si l'enfant ne découvre pas qu'il existe des limites, il lui sera très difficile plus tard de regarder les autres comme des personnes, des sujets ayant des besoins. Il cherchera toujours à être l'unique maître de la situation pour obtenir ce qu'il veut. Ce genre de situation est particulièrement difficile et dangereux quand l'enfant vit seul avec sa mère, qui est en manque d'affection à cause de l'absence ou de l'attitude du mari. Elle risque de trop dépendre affectivement de l'enfant. Il découvre alors le pouvoir qu'il a sur elle et sa capacité de la manipuler.

J'ai eu l'occasion de parler avec des parents d'adolescents qui se droguent ou qui sont sur la voie de la délinquance. Ils ont parfois une grande difficulté à être fermes, à ne pas succomber au chantage pour donner de l'argent. Ils ne vivent plus ; ils sont toujours tournés vers ce qu'ils appellent le malheur de leur fils ou leur fille. Ils veulent à tout prix empêcher que l'enfant tombe dans l'abîme. Mais l'enfant ne peut commencer la remontée que s'il respecte ses parents, s'il a confiance en eux comme en des êtres qui ont leur autonomie. S'il découvre que ses parents l'aiment assez pour dire non.

L'éducation demande beaucoup de persévérance et de force, non pas une force brutale, mais une force de douceur qui jaillit de la communion et de la confiance : la certitude chez l'enfant qu'il est compris, aimé, et que l'adulte désire son bonheur. J'ai été horrifié un jour, quand j'ai visité une institution et vu un éducateur utiliser un instrument pour produire un électrochoc sur un enfant qui se frappait. La théorie qui justifie cette pratique s'appelle « modification du comportement ». Pour qu'un enfant modifie son comportement ou pour l'encourager à mieux faire, on lui transmet une sensation désagréable ou agréable selon qu'il agit avec le comportement à modifier ou à fortifier. Ainsi, on espère que l'enfant en question ne se frappera plus, car il aura découvert le lien entre le fait de se frapper et la sensation désagréable produite par l'électrochoc. Certes, si on aime son enfant, il faut l'encourager à faire une bonne action et le décourager à en faire de mauvaises, et on peut utiliser pour cela le système universel des punitions et des récompenses. Mais dans ce cas, il était évident que l'éducateur n'aimait pas l'enfant, n'avait pas d'empathie pour lui, sinon il n'aurait pas pu lui faire aussi mal. L'électrochoc était comme une torture. Une telle souffrance ne pouvait guérir l'enfant. Si celui-ci se frappait, c'est qu'il vivait des angoisses venant d'un sentiment d'isolement, de rejet et de culpabilité. L'action de l'éducateur ne pouvait que renforcer les angoisses. Peut-être l'enfant cessera-t-il de se frapper, mais pour se fermer sans doute davantage derrière les murs d'une psychose.

L'expérience de l'Arche nous montre qu'on ne peut arrêter ces gestes d'automutilation, fondés plus ou moins sur la peur et le mépris de soi, qu'à travers de longues années de soins, d'attention, d'amour, par une équipe unie et la plus permanente possible, qui arrive à créer avec la personne souffrante des liens de confiance.

Le plus important dans l'éducation est l'imitation. Quand l'enfant est en communion avec ses parents et qu'il a confiance en eux, il cherche à les imiter. Il apprendra ainsi le langage et les gestes essentiels de la vie. Les parents sont les modèles. L'enfant semble même détecter et imiter les défauts des parents aussi bien que leurs qualités. Quand on aime quelqu'un, on cherche inconsciemment à adopter ses attitudes.

L'éducation à travers l'unité du couple

Aimer un enfant, ce n'est pas uniquement avoir une relation de confiance réciproque. C'est l'aider à se développer, à devenir responsable, autonome, à être lui-même, libre, capable d'agir dans l'amour, en somme l'aider à devenir pleinement une personne humaine. L'attachement à un enfant peut aller à l'encontre de sa croissance vers la liberté et la responsabilisation de soi-même. Une éducation trop affective peut devenir manipulatrice ; la communion devient alors possession.

L'enfant a besoin de sécurité, la sécurité d'être

aimé. Il a besoin de sentir l'encouragement de ses parents à grandir et à devenir responsable. Il a besoin de sentir cette confiance. Cette éducation est la meilleure quand les parents s'aiment, quand il y a entre eux tendresse et unité, quand chacun d'eux aime l'enfant non à partir d'un vide affectif, mais à partir d'un cœur plein, et quand chacun exerce l'autorité selon son propre charisme, complémentaire au charisme de l'autre.

Les conflits et les divisions entre les parents plongent l'enfant dans l'insécurité et la division intérieure car il a besoin de son père et de sa mère. Il ne peut comprendre le conflit ; il peut même croire qu'il en est lui-même l'origine, et il se culpabilise.

Dans notre communauté au Burkina Faso, nous avons accueilli Karim. Sa maman était morte à sa naissance et il avait été placé dans un orphelinat. À l'âge de trois ans, il a eu une méningite et a été séparé des autres enfants. La maladie a laissé des séquelles graves : Karim ne pouvait ni parler ni marcher et son intelligence était atteinte. À l'orphelinat, on l'a laissé tout seul pendant de longues années. Dans son angoisse il a commencé à se frapper la tête. Arrivé dans notre communauté, il a découvert peu à peu qu'il était aimé, qu'il était capable de certaines activités. Il a voulu vivre. Il a arrêté de se frapper la tête. Mais quelques années plus tard, quand il y a eu des conflits entre les assistants, il a recommencé. Le manque d'unité autour de lui le replongeait dans l'insécurité et dans l'angoisse.

La foi dans le développement de l'enfant

Une des difficultés pour l'enfant est d'accepter les limites de ses propres parents. Au début de la vie de l'enfant, les parents sont tout pour lui. Ils sont Dieu. Toute la vie passe par eux. Ils nourrissent, protègent, éclairent, soutiennent l'enfant et lui donnent le langage. Puis, il y a les déceptions ; la communion et les cœurs sont blessés et brisés par des antagonismes, des luttes et des colères. L'enfant ne se sent plus compris. Il devient agressif ou dépressif. Il se sent abandonné ou possédé. Du piédestal où il avait placé ses parents, il les plonge dans les abîmes. À ce moment, l'enfant se trouve très seul et risque de se condamner lui-même. Parfois, il trouve un soutien auprès de ses frères et sœurs, de ses amis à d'école, d'une tante, du parrain, de la marraine ou du maître d'école.

Ce qui peut surtout l'aider à accueillir les défauts de ses parents, c'est une foi en Dieu qui lui donne conscience qu'au-delà de leurs défaillances il y a une justice, un amour, une lumière de vérité, et qu'ils ne sont pas Dieu. Il ne se sent pas alors jugé par une loi suprême : celle des parents, celle de l'école ou de la société. La vie n'est pas une série d'obligations ; il faut ou il ne faut pas faire ceci ou cela. La vie est communion avec un Dieu caché dans son cœur, un Dieu qui est bon, même si les parents ne le sont pas ; un Dieu qui pardonne, même si les parents ne pardonnent pas. Cela va permettre à l'enfant de mettre l'absolu là où il le faut, non pas dans ses parents, dans sa culture, sa race, sa classe sociale, ni même dans son avenir ou dans ses projets d'études. Cela implique qu'il ait été introduit tôt dans une connaissance de Dieu à travers son cœur et qu'il ait pu vivre une communion avec Lui. L'enfant découvre alors Dieu, non comme le fruit de ses efforts et de l'obéissance à la loi, mais comme la source de sa propre vie. Cette communion avec la Source est parfois plus accessible à l'enfant, car il a moins de barrières intérieures, moins d'orgueil, moins de besoin de se prouver et de se satisfaire en lui-même. Bref, il vit plus proche de la communion.

La foi permet à la conscience personnelle de l'enfant de se développer. Elle lui permet d'être lui-même, de découvrir qu'il est aimé au-delà de ses parents, qu'il a une valeur au-delà de la société et de ce que les autres peuvent penser ou vouloir de lui. Elle lui permet de développer sa liberté intérieure. Il n'a pas besoin de vivre seulement dans et à travers le regard des autres.

Mais pour que l'enfant vive dans la foi, il est nécessaire qu'elle soit transmise comme une vie et un esprit. Quand la religion est seulement au service de la morale et de l'ordre, et non au service de la communion et de l'amour, elle devient oppressive. L'enfant sent que ses parents veulent qu'il apprenne la religion pour qu'il soit sage, pour qu'il leur obéisse davantage. Alors la religion étouffe ; elle n'est qu'une série de lois auxquelles il faut se soumettre. L'enfant sent l'hypocrisie de cette attitude. Il ne peut supporter une religion fausse, au service d'une autorité de contrôle. En revanche, si l'enfant découvre la foi comme confiance dans une Personne, au-delà de ses parents, son cœur s'ouvre à la communion universelle.

Les parents, ou d'autres, ne peuvent transmettre la foi que si l'enfant voit que la foi des parents (ou d'autres) les rend plus humbles, plus aimants, plus patients, plus ouverts, plus confiants, plus « bons ». Elle leur permet de demander pardon à l'enfant quand ils ont été durs ou injustes, critiques ou hypocrites ; quand ils n'ont pas mis en pratique ce qu'ils exigent de l'enfant. L'enfant est terriblement sensible à la vérité. Il sent l'hypocrisie, le mensonge ou les injusti-ces. Il ne peut comprendre comment les parents qui se réclament de la foi, puissent vivre le contraire. C'est pourquoi beaucoup d'enfants à notre époque rejettent la foi comme n'ayant pas de valeur humaine, comme étant une illusion.

2

L'adolescence :
l'âge de la recherche, de la générosité,
de l'idéal

Le temps de l'adolescence est un temps très riche. C'est un temps de recherche, un temps de transition entre la terre de la « famille reçue » et la terre de la « famille choisie ». C'est un temps d'instabilité et parfois de peur, mais c'est aussi le temps de l'espérance.

Pour moi l'adolescence a été comme couverte et enveloppée par mon choix d'être marin, qui était le choix d'une profession. Ce choix m'a permis de quitter ma famille dans de bonnes conditions. Il m'a fixé dans une motivation forte et claire. Il m'a donné une profession et un avenir assurés. Il m'a appelé à aller jusqu'au bout de mes forces physiques et de mes capacités humaines, à travers tout un monde de compétition, de promotion et de générosité. Il a structuré ainsi mon corps et mon esprit. Mais ce choix m'a appauvri sur le plan relationnel. Mes énergies étaient tellement orientées vers l'efficacité et la réussite que je n'avais pas le temps de croître émotionellemment et sur le plan relationnel, en dehors des amitiés qui me liaient à mes frères officiers.

En parlant avec des étudiants en médecine ou

orientés vers d'autres professions classiques, je découvre qu'eux aussi sont motivés et passionnés par leurs études. Par le fait même, leur vie est structurée, ils ont une identité venant de leur profession future, mais parfois au détriment de leur vie relationnelle. En revanche, les jeunes gens qui n'ont pas d'intérêts particuliers, ni dans le sport, ni dans un art, ni dans les études, qui ne savent pas ce qu'ils veulent faire plus tard, qui n'ont pas pu faire un choix, peuvent être un peu perdus ; leurs énergies se dispersent. Les amis et les loisirs captent toute leur attention. Par contre, ils ont parfois une expérience culturelle et relationnelle plus riche et ils peuvent être plus ouverts aux autres que les premiers.

La souffrance propre à beaucoup d'adolescents est leur manque de confiance en eux-mêmes. Les adultes paraissent si certains, si forts, si capables ; eux ont besoin d'être confirmés. J'ai personnellement eu beaucoup de chance. Quand j'ai voulu entrer dans la marine à l'âge de treize ans, en 1942, en pleine guerre, j'ai dû, bien sûr, en parler à mon père. C'était particulièrement délicat à une période où les sous-marins allemands coulaient un navire allié sur trois, car nous étions au Canada et l'école des futurs officiers de la marine de guerre britannique se trouvait en Angleterre. Il fallait donc traverser l'Atlantique. Mon père m'a demandé pourquoi je voulais entrer dans la marine. Je ne sais ce que je lui ai dit mais je me souviens de sa réponse : « J'ai confiance en toi, si tu le veux, il faut que tu le fasses. » J'ai réalisé longtemps après que ses paroles m'ont donné vie. J'aurais accepté s'il avait dit « attends, dans quelques années tu pourras entrer à l'école navale de la marine canadienne. » Mais j'aurais perdu confiance en mes intuitions. Sa confiance en moi m'a donné confiance en moi-même ;

elle m'a aidé ainsi à vivre pleinement le défi. Je ne voulais pas non plus trahir sa confiance.

Les amis

Il y a quelques années, vingt-cinq adolescents entre quatorze et dix-huit ans, enfants des assistants de l'Arche, se sont retrouvés pour un temps de partage et de vie en commun durant les vacances. Ils m'ont demandé de leur parler du sens de la souffrance. J'étais émerveillé par eux. J'avais connu nombre de leurs parents avant leur mariage et je me sentais un peu comme leur grand-père ! Aucun d'entre eux ne pensait s'engager à l'Arche plus tard, mais tous disaient leur joiè de vivre à l'Arche. Tous avaient été touchés par les personnes avec un handicap. Il y avait une grande amitié entre eux. L'adolescence est le temps de l'amitié. Les amis sont l'intermédiaire entre la chaleur et la protection familiales et la terre nouvelle pas encore choisie. L'amitié est une richesse. Elle ouvre le cœur, elle donne sécurité, elle permet l'audace et le risque ; mais il est vrai aussi que les jeunes gens peuvent se fermer derrière les murs de l'amitié. Étant bien ensemble, les amis se cachent ainsi des adultes ; ils cachent parfois leur désespoir. Ils font bande à part.

Les adolescents sont en voie de quitter la terre familiale reçue. Ils cherchent une nouvelle terre où ils peuvent mettre leurs racines. Cette période de transition est comme un passage, un voyage. Ils veulent trouver un sens à leur vie. En quittant leurs parents, ils veulent quelque chose de nouveau, de meilleur, de plus beau. Ils cherchent un idéal de vie.

L'idéal

Parfois dans leurs cœurs la révolte grandit. Certains jeunes gens ne peuvent accepter les valeurs de leurs parents. Leur colère se tourne contre la société qui paraît hypocrite. Ils se sentent trahis. La société trop organisée ne semble pas leur accorder une place. En mai 1968, les jeunes se sont révoltés contre l'institution trop pesante, contre l'autorité qui écrase. Ils voulaient montrer qu'eux aussi pouvaient prendre des décisions, faire des choses nouvelles, ouvrir des voies nouvelles.

Je suis touché aujourd'hui par les jeunes épris d'un idéal de générosité : idéal de justice pour les pays plus pauvres, idéal écologique, idéal spirituel et de compassion, idéal de paix. Beaucoup sont prêts à sacrifier leur confort individuel pour s'investir dans les organisations humanitaires. D'autres sont découragés et s'enferment dans leur découragement. D'autres, au contraire, veulent mettre de l'ordre dans une société qui se fragmente en s'engageant dans des mouvements politiques ou religieux, conservateurs et très structurés.

Mon expérience me montre qu'il y a deux formes d'idéal : l'une, plus tournée vers des idées et des structures ; l'autre, plus orientée vers les personnes. La première tend à être militante, cherchant à réformer les structures de la société et s'appuyant sur une bonne organisation. La seconde accentue l'écoute, la présence et la bonté. Les jeunes qui s'engagent auprès des personnes tendent à vivre davantage dans la réalité humaine que ceux qui s'engagent pour des idées et dans des structures.

La prise de conscience du désordre du monde est accentuée chez certains jeunes par la prise de conscience du désordre à l'intérieur d'eux-mêmes. Ils sentent la division et la confusion qui viennent des divisions familiales, des conflits entre leurs parents. Ils se sentent perdus et fragilisés par ces conflits. Un certain nombre sont aussi tiraillés par leurs propres désirs sexuels et par la peur de la mort. L'apprentissage de la sexualité n'est jamais une réalité facile. Chaque personne est blessée dans sa vie relationnelle ; elle peut l'être encore plus dans sa vie sexuelle.

Il y a quelque temps, je travaillais avec un groupe de professeurs d'un lycée. Chaque mois, nous abordions ensemble des questions qui touchent les adolescents. Un jour nous avons parlé de leur désarroi devant la sexualité. Il y a l'éducation sexuelle reçue dans le milieu familial, et ce qu'ils apprennent à travers la télévision ; il y a leurs propres émotions et ce qu'ils entendent de leurs amis à l'école. Comment les aider à découvrir le sens de la sexualité humaine ? J'ai demandé à ces professeurs où on en parlait à l'école. « En biologie », m'a-t-on répondu. Chaque professeur a admis que cela ne suffisait pas, mais chacun a avoué qu'il ne savait pas en parler. Ce n'est pas étonnant que tant de personnes soient dans la confusion dans ce domaine. Qu'est-ce qui est possible ? Qu'est-ce qui est bien ? Quels repères ? Qu'est-ce qui construit ? Qu'est-ce qui détruit ? La puissance d'attraction vers l'autre sexe, la puissance du désir, le besoin d'une communion plus totale avec une autre personne (surtout si la personne vit dans un milieu conflictuel où il ne se sent pas aimé) amènent certains à avoir des relations sexuelles avec des personnes avec qui ils n'ont pas de liens profonds d'amitié ; des relations passagères, sans amour. La sexualité apparaît alors comme une puissance désordonnée, n'ayant pas de sens humain. Une jeune femme m'a dit : « Quand je veux me détruire je cherche à vivre une relation sexuelle qui ne peut aboutir en une véritable relation. » Une autre femme, tombée dans le monde de la délinquance m'a avoué : « Quand je hais un homme je couche avec lui », avec en sous-entendu : ainsi je le tiens en mon pouvoir.

Ainsi la sexualité humaine est-elle un monde complexe, l'union physique peut donner l'illusion de la communion comme la réalité de la déception, de la séparation, du malheur. Elle peut être alors destructrice pour soi, pour l'autre. La pornographie, les sex-shops, les abus sexuels, les viols, montrent combien cette puissance si belle quand elle est un don du cœur au service de la vie, de la communion, peut être détournée vers la mort.

Le sida est une maladie qui apporte beaucoup de confusion. Le sperme et le sang appelés à donner la vie, donnent la mort. Ce n'est pas étonnant que notre monde se sente perdu devant cette puissance qui apparaît, sous bien des aspects, chaotique. Beaucoup de personnes, dès leur jeunesse, cependant, ont l'intuition que leur sexualité a quelque chose de sacré et elles ne veulent pas se livrer à n'importe qui. La sexualité humaine implique un lien sacré.

Une jeune femme qui avait vécu nombre d'expériences avec des hommes et avec la drogue, m'a parlé d'un jeune homme qu'elle connaissait bien : « Il m'aime pour moi. » Certains jeunes font bien la distinction entre un vrai et un faux amour ; ils savent ce qui est vrai. C'est là d'ailleurs leur force. Ils perçoivent vite l'hypocrisie et les doubles messages ; ils ont un jugement parfois très sûr. Leur souffrance est souvent de se sentir trop faibles, trop incapables pour aller vers la lumière. Ils sont attirés vers autre chose. Ils n'ont pas la force d'aimer. C'est là la source de leur découragement.

Il y a aussi le désordre de la mort, que certains rencontrent très tôt dans leur vie. Je n'ai personnellement pas rencontré la mort durant mon adolescence. Bien sûr, je savais que la mort existait, mais je n'ai pas été affecté par la mort de personnes proches. J'ai pu constater cependant le désarroi des jeunes en face de la mort d'un ami à l'école — surtout quand il s'agissait d'un suicide. La mort apparaît alors comme quelque chose de révoltant et d'insupportable, signe du chaos de notre monde. Pourquoi vivre un idéal et aimer si tout finit par la mort ?

La loi et le guide spirituel

Beaucoup d'adolescents, avec toutes leurs fragilités, veulent vivre pleinement. La vie, sous forme de recherche et d'espérance, est forte en eux. Ils veulent construire l'avenir. Ils veulent prendre leur place dans le monde, à travers un idéal de vie. Leurs propres fragilités, augmentées par un sentiment de chaos à l'intérieur et à l'extérieur d'eux, les poussent vers un idéal et la recherche d'une loi pour l'atteindre. Car ils savent qu'ils n'ont pas la force ni l'expérience nécessaire pour cheminer seul. Ils ont besoin d'une formation humaine intellectuelle et spirituelle, d'une discipline qui les aide à se structurer et à atteindre leur idéal.

Certains de ces jeunes entrent dans les sectes. Au Québec, on m'a parlé de l'existence de huit cents sectes ! Des jeunes, fragiles et insécurisés, sont rassurés par la rigidité de la loi sectaire, par les certitudes claires énoncées par le gourou et tout le groupe. Ce ne sont pas les mouvements, politiques et religieux les moins exigeants qui attirent aujourd'hui le plus de jeunes. La plupart veulent faire quelque chose de beau de leurs vies, ils cherchent des lieux où ils peuvent trouver un sens à leur existence, avoir une formation humaine et intellectuelle sérieuse, et une discipline qui les aident à être plus. Ils savent que, si on veut faire quelque chose de bien dans la vie, il faut travailler ; il faut se soumettre à des exigences et à une discipline.

Ces jeunes cherchent de vrais témoins qui vivent ce qu'ils annoncent. Ils cherchent des guides authentiques qui vont être des intermédiaires entre leurs propres parents, leur vie familiale et la vie en société ; des guides qui vont les aider à intégrer la loi, leur faire découvrir que la loi n'est pas quelque chose d'abstrait, de lointain, qui vient d'en haut, mais qu'elle est inscrite dans la réalité humaine. Elle peut parfois paraître rigide, mais elle est nécessaire pour l'épanouissement de l'être humain, pour trouver une identité claire, en restant ouvert aux autres, tout comme les règles et la discipline sont nécessaires dans le sport et les études.

Personnellement, j'ai été aidé par le Père Thomas Philippe quand j'ai quitté la marine en 1950. Je souhaiterais que beaucoup de jeunes puissent trouver un tel soutien. J'avais besoin de ce modèle qui m'a aidé à découvrir comment orienter ma propre vie, j'avais besoin de ce maître en humanité et en philosophie pour m'aider dans la formation de mon intelligence ; j'avais besoin de ce père spirituel pour m'aider dans mon cheminement de foi, qui m'a aimé et m'a donné confiance en moi-même.

Beauté et pauvreté de l'adolescent

Les adolescents sont tantôt étonnamment tolérants, tantôt terriblement intolérants. Beaucoup sont tolérants ; mais cette tolérance est parfois fruit d'un idéal déçu. Ils ne croient pas que les choses peuvent aller mieux. Ils n'ont pas la force de lutter pour un monde meilleur. N'ayant pas d'idéal, leur tolérance peut venir d'une certaine déception, d'un certain désespoir ; elle peut venir d'une certaine fermeture et d'une certaine méfiance par rapport aux adultes. D'autres, au contraire, sont terriblement intolérants. Ils critiquent tout le monde. Ils peuvent être très sectaires, très durs. Ils sont parfois amenés à des attitudes de rejet et de violence par rapport aux étrangers. Ils peuvent se fermer dans des lois et des certitudes, sans ouverture, sans chercher à comprendre.

Il y a une réelle beauté dans la période d'adolescence ; c'est le temps de la recherche et de l'ouverture, le temps de l'idéal, le temps de la générosité et de l'héroïsme, le temps orienté vers l'avenir. En même temps, il y a la pauvreté de l'adolescence, les peurs d'avancer, le manque de confiance en soi, les craintes de ne pas réussir et donc la fermeture et le refus de chercher. Cette période peut devenir le temps d'une immense peur et de faiblesse. Il est parfois si difficile de se fixer dans une terre précise, de faire des choix ! L'avenir politique et social de notre époque paraît si incertain ! Il y a de plus en plus de jeunes gens au chômage. Et, en même temps, les jeunes gens ont trop de possibilités de choix, ils sont sollicités par tellement de choses ! Ils veulent parfois tout et tout de suite, sans attendre, sans effort. Choisir c'est mourir un peu, c'est renoncer à d'autres réalités. C'est pour cela qu'ils ont du mal à se fixer. On est dans un monde en changement continuel ; tout paraît provisoire, tout peut changer. La télévision montre toujours de nouvelles attitudes ; il y a sans cesse de nouvelles inventions et techniques. Qu'est-ce qui est permanent ? Beaucoup de jeunes gens cherchent alors à vivre l'instant présent, l'expérience forte de l'aujourd'hui. Comment alors les aider à avoir suffisamment confiance en eux-mêmes pour faire des choix, en acceptant des deuils nécessaires, et pour s'orienter vers un chemin de paix et de communion, avec toutes les luttes que cela peut impliquer ? Comment les aider à vivre une espérance ?

3

L'adulte :
l'âge de l'enracinement, de la fécondité
et de la responsabilité

Trouver sa terre

C'est dans la troisième étape de ma vie, après mon enfance, à l'âge de trente-six ans, quand je suis devenu responsable de personnes dans l'Arche, que je suis entré réellement dans l'âge adulte. La marine a structuré mes capacités d'action et, sous certains aspects, mon corps et mes énergies psychiques et physiques. Elle m'a aidé aussi à intégrer la loi (dans la marine il y a beaucoup de lois !). La spiritualité que j'ai pu apprendre et vivre auprès du Père Thomas et les connaissances philosophiques et théologiques ont structuré et fortifié mon esprit. Tout cela m'a préparé à assumer des responsabilités permanentes auprès d'autrui, à trouver une terre où je pouvais donner la vie aux autres et vivre plus pleinement la communion.

C'est bien à l'Arche que j'ai commencé à comprendre ce qu'est la vie d'un adulte. L'Arche accueille beaucoup de personnes adultes avec un handicap mental, qui trouvent assez vite une terre après un temps d'apaisement et de croissance. L'Arche accueille également beaucoup d'assistants entre dix-huit et trente ans pour des périodes de trois mois à trois ans. Ils sont en quête d'expérience, ils n'ont pas encore trouvé leur terre définitive ; ils la cherchent. Pour certains, l'enracinement dans une terre est difficile, car ils ont tant de possibilités. Ils ont peur de choisir trop vite, de se tromper. Ils tardent souvent à prendre une décision.

Sous certains angles, et bien sûr, avec des exceptions, les personnes avec un handicap mental ne vivent pas beaucoup leur adolescence. Il n'y a pas pour elles cette recherche d'idéal. Elles passent vite de l'enfance à la vie d'adulte et pour certaines d'entre elles, ayant un handicap lourd, à la vie du vieillard. C'est pour cela que certaines semblent avoir une maturité plus grande que certains jeunes en recherche.

Pour beaucoup de gens comme pour moi, le premier engagement est celui de la vie professionnelle. Celle-ci leur donne déjà une certaine identité. Elle est choisie durant l'adolescence, qui est le temps de la formation. Elle se confirme s'ils trouvent du travail. La compétence structure l'être ; elle est nécessaire dans la vie humaine, pour prendre sa place dans la société et avoir un salaire qui permette de vivre.

Nous touchons là au drame de jeunes hommes et femmes au chômage. C'est leur identité naissante qui est mise en cause. Pour une personne déjà structurée, le chômage est douloureux, mais elle sait déjà qu'elle est compétente et a une valeur. Ce n'est pas le cas des personnes plus jeunes qui peuvent être totalement désorientées par l'impossibilité de se prouver dans un travail reconnu.

D'autres jeunes gens se structurent et se stabilisent à travers des valeurs de vie : valeurs morales, sociales, intellectuelles, et religieuses. Cette stabilisation se fortifie et devient réel à travers un engagement dans les mouvements politiques, sociaux ou religieux. Ces jeunes ont alors fait le passage de la foi et des valeurs reçues des parents à une foi et des valeurs personnelles. Ils ont fait des choix par rapport à ces valeurs. Ils choisissent leurs amis en conséquence.

Mais la vraie maturité humaine vient quand il y a engagement et responsabilité par rapport à des personnes ; un engagement qui lie, qui va former et ouvrir le cœur et l'esprit. Le lien de l'homme et de la femme dans la famille est le plus répandu de ces engagements. Il y a aussi la vie en communauté et certains engagements sociaux et humanitaires inspirés par l'amour des personnes pauvres ou dans le besoin. Ces choix d'engagements définitifs impliquent un deuil et un risque.

Deuil par rapport à la recherche d'autres expériences, par rapport à la liberté personnelle de faire ce qu'on veut ; l'homme qui se marie fait le deuil de millions d'autres femmes ! Risque, car on ne sait pas comment les choses vont évoluer ; peut-être l'autre (ou les autres) changera, tombera malade, sera infidèle ; et soi-même également on peut changer. Comment faire un choix définitif dans un monde où tout change et évolue si vite ?

À l'Arche, on voit combien c'est difficile pour de jeunes assistants de s'engager à vie dans la communauté : c'est tout autre chose que de venir pour quelques mois ou quelques années d'expérience. Pour oser prononcer un engagement dans une communauté, il faut une certaine formation humaine, avoir eu dans sa vie des modèles d'engagements permanents heureux et épanouis, avoir trouvé un équilibre humain et spirituel dans la communauté avec le sentiment d'avoir grandi intérieurement et d'avoir été aimé et apprécié.

Arrive un moment (à notre époque plus près de trente ans que de vingt ans) où la personne sent comme un appel à mettre des racines pour donner des fruits, donner la vie ; il est fatigué des incertitudes, de l'instabilité, de la recherche et du mouvement ; il aspire à s'arrêter. Il veut enfin s'engager d'une façon permanente avec une personne qui sera son compagnon ou sa compagne de route pour le reste de la vie, ou bien avec d'autres dans une vie communautaire, où l'on peut se former ensemble dans un idéal. Il réalise qu'il ne s'agit pas de vivre avec une personne parfaite, merveilleuse, mais d'accepter sa propre réalité et la réalité de l'autre. Il quitte le ciel de l'idéal et des rêves pour retourner progressivement sur la terre. Il est amené alors à devenir réaliste en découvrant progressivement les deuils qu'il est appelé à faire pour demeurer fidèle, ses difficultés relationnelles et les souffrances humaines. Mais à travers l'engagement et la communion, il découvre alors une nouvelle liberté et la joie de donner la vie.

Fécondité et productivité

Dans le livre de Saint-Exupéry, le Petit Prince dit qu'on est responsable de celui qu'on a apprivoisé. On devient responsable d'un cœur qu'on a éveillé, mais encore plus de ce petit cœur qu'on a procréé. Communiquer la vie est l'un des besoins les plus profonds de tout vivant. Depuis l'origine du monde, la vie engendre la vie. Cachées dans chaque fleur, chaque fruit, chaque légume, chaque arbre reposent les semences qui donneront des milliers et des milliers d'autres fleurs, fruits, légumes ou arbres. Aristote disait que les êtres vivants mortels participent à l'éternité, non pas individuellement, mais à travers la permanence de l'espèce et leur capacité de donner vie à un autre semblable.

Ce qui est vrai pour tous les vivants, est vrai d'une façon particulière pour l'être humain. L'une des grandes richesses de l'être humain est d'avoir des enfants. Ils sont la joie de la famille. Dans la plupart des pays du monde, l'enfant est la richesse et la sécurité des parents. Quand les parents seront âgés ou malades, les enfants veilleront sur eux. L'enfant est aussi l'avenir. S'il y a sexualité et procréation, c'est parce qu'il y a la mort. La sexualité est la réponse à la mort. Chaque être humain meurt mais il laisse derrière lui un autre, un fils ou une fille, semblable à lui mais différent. Les parents se prolongent dans leurs enfants, c'est ainsi que les enfants sont la fierté ou le déshonneur des parents.

Dans les sociétés plus riches, cependant, il y a une certaine peur de donner la vie. Les parents sont souvent pris dans des difficultés financières ; tous les deux travaillent et la mère est fatiguée ; souvent on ne trouve pas de logement adéquat. L'enfant est vu comme une richesse, mais aussi comme un dérangement et un poids financier. Je me demande toutefois s'il n'y a pas autre chose derrière la baisse de natalité dans nos sociétés plus aisées. Dans les communautés de l'Arche, à travers le monde, il y a beaucoup de couples engagés. Ils reçoivent des salaires plutôt bas et ont souvent trois, quatre ou cinq enfants. N'est-ce pas parce qu'ils ont trouvé dans la vie communautaire de l'Arche une espérance ? Ils n'ont pas peur de mettre au monde des enfants.

La fécondité humaine n'est pas seulement biologique. Pour procréer, il faut que l'homme et la femme

s'aiment. L'intimité sexuelle et la procréation se préparent par l'amitié, par une communion qui s'approfondit, par une connaissance et reconnaissance
réciproques, par la confiance mutuelle qui permettent
de se donner l'un à l'autre. Et l'enfant a besoin de
leur amour, pour vivre et croître harmonieusement,
devenir lui-même et s'ouvrir aux autres. Il a besoin,
comme nous l'avons dit, d'être aimé, sinon il
s'enferme sur lui-même. En l'aimant, les parents lui
donnent vie ; en le rejetant ou en le possédant, ils
l'empêchent de vivre. À l'Arche, nous avons trop vu
les conséquences du manque d'amour, du rejet de
l'enfant à cause de son handicap.

Et cette fécondité de la vie du couple va au-delà de
ses enfants. En s'aimant, il rayonne une qualité de vie
dans son entourage.

Fécondité de toute relation humaine

Cette fécondité de l'amour n'existe pas seulement
dans la famille. Elle est impliquée dans toute relation
humaine, surtout dans la relation d'aide. Un bon professeur n'est pas seulement celui qui connaît sa
matière et sait enseigner ; il est aussi celui qui aime,
apprécie ses élèves, les reconnaît comme des personnes. Ses attitudes respectueuses, accueillantes, et
aimantes, leur donnent confiance et les ouvrent à son
enseignement. Cela est vrai également du prêtre, du
médecin, du travailleur social, de l'éducateur, du psychologue, de celui qui s'engage auprès des pauvres
dans les bidonvilles d'Amérique latine, etc. C'est vrai
de toute rencontre humaine. C'est vrai dans toute
activité où on collabore avec d'autres. Ou bien on
entre dans une relation où on domine, où on cherche
à prouver sa supériorité, on contrôle et parfois on

écrase et fait peur ; ou bien on demeure passif, on laisse faire, on refuse de prendre une responsabilité dans la relation, on tend à avoir l'attitude d'une victime ; ou bien on entre dans une relation où l'on confirme l'autre, on l'apprécie, on lui fait confiance et on l'aide à découvrir et à exercer ses dons et à développer ce qu'il y a de meilleur en lui. On peut d'ailleurs souvent passer d'une attitude à l'autre. Une communauté, une famille, une équipe de travail grandit quand les relations sont fécondes, aimantes, pleines de confiance mutuelle.

La pédagogie de l'Arche se trouve précisément là : aider la personne avec un handicap à reconnaître sa propre valeur et sa beauté, l'aider à avoir confiance en elle-même et dans ses propres capacités de croître et de faire de belles choses ; changer l'image négative qu'elle a d'elle-même en image positive d'elle-même. Ainsi, on communique la vie. Les assistants découvrent leur fécondité. Et la fécondité conduit à la responsabilité.

Les parents sont responsables de leurs enfants et cette responsabilité est astreignante. L'enfant a sa liberté et, en grandissant, il l'exprime de plus en plus. Les parents sont responsables d'éduquer cette liberté, non de la supprimer. L'enfant est appelé à grandir dans la liberté : libre de la peur, libre d'aimer, libre de connaître et de vivre la vérité. Le métier de parents est un beau métier mais exigeant.

La fécondité est différente de la productivité et de la créativité. Il y a une « fécondité » artistique parfois magnifique. L'œuvre d'art, le livre, un air, la sculpture, l'invention, le tableau impliquent une conception, une gestation et un accouchement parfois laborieux. Mais l'œuvre demeure inerte. Elle est faite ; elle est belle. Le vivant, par contre, doit être nourri, aimé, éduqué ; on ne s'assied pas pour l'admirer ; on ne peut l'abandonner dans un coin s'il gêne ; on est en quelque sorte dépendant de lui. La fécondité humaine est en vue d'une personne, d'un sujet qui est appelé aussi à la communion. La fécondité jaillit de la communion et est en vue de la communion. C'est ainsi que, pour certains, la fécondité, c'est-à-dire la communication de la vie, fait peur. C'est moins exigeant de produire un objet qu'on peut mettre de côté quand on ne le veut plus, que d'être responsable, père, mère d'un enfant pour toute une vie. En devenant responsable, on devient plus humain ; on grandit en maturité ; on s'ouvre aux autres.

Cependant l'œuvre d'art, comme toute œuvre humaine, peut favoriser la communion ou la brisure de la communion. De ce point de vue, elle participe à la fécondité. Il y a des tableaux, des icônes, des formes de musique, des pièces de théâtre, des chants et des poèmes qui éveillent le cœur à la communion. Ils ont été créés à partir d'une expérience de communion et orientent vers elle. De même, l'architecture, l'ameublement d'une maison peuvent favoriser ou non l'intimité et le bien-être humain.

L'adolescent vit le risque de la recherche. L'adulte vit le risque de l'amour et de la fécondité. Souvent, celui dont il est responsable le conduit là où il ne voulait pas aller. N'est-ce pas le cas de tant de parents qui ont été ouverts et modifiés par leurs enfants ?

Autorité et responsabilité

La maturité humaine est la capacité d'exercer l'autorité et d'assumer une responsabilité envers des personnes. L'adolescent cherche à mettre des racines. L'adulte a mis des racines dans une terre précise ; il peut ainsi porter des fruits. Il devient responsable d'autrui : responsable de sa femme ou de son mari, responsable de ses enfants, responsable de ses amis et compagnons de travail, responsable de ceux qu'il a aidés, en qui il a éveillé la vie. Et la responsabilité implique l'exercice de l'autorité.

À notre époque, il y a une grande peur de l'autorité et de la responsabilité. Une personne qui exerce l'autorité est souvent vue comme quelqu'un qui écrase la liberté des autres pour atteindre le but fixé. Cela peut paraître une caricature, mais en réalité beaucoup de gens ne savent pas exercer l'autorité. Ils l'exercent comme un mauvais adjudant de l'armée, en criant.

J'ai découvert à l'Arche deux formes d'autorité : l'autorité qui impose, domine et contrôle ; et l'autorité qui accompagne, écoute, attire, libère, fait confiance, donne vie et aide l'autre à grandir, à avoir confiance en lui-même et à se responsabiliser. Celui qui exerce l'autorité selon la première forme sait qu'il a raison ; il a un sens du devoir et veut apprendre aux autres des vérités humaines, religieuses et morales. Mais l'autre alors n'a rien à dire ; il doit écouter, apprendre et obéir. Il n'y a pas de dialogue. L'autorité impose et s'impose. Celui qui l'exerce a peut-être un sens de la vérité ; il ne cherche pas nécessairement sa propre gloire ; il ne veut pas écraser. Mais il ne sait pas rejoindre l'autre dans son cheminement ; il ne le respecte pas. Il n'écoute pas ; il tend, malgré lui, à le culpabiliser en le traitant comme inférieur.

Cette autorité forte est nécessaire en temps de crise. Quand il y a le feu, il faut agir vite et efficacement. L'enfant doit savoir qu'il y a des choses à ne pas faire. Il faut savoir être ferme et dire « non » devant une personne qui traite avec mépris une personne avec un handicap et l'abuse. Il faut corriger des injustices. Il faut empêcher un jeune de se laisser entraîner vers la drogue. Dans l'Évangile, on nous dit que Jésus a fabriqué un fouet avec des cordes et a chassé les animaux du Temple ; il a renversé les tables des changeurs d'argent ; il a hurlé contre les pharisiens qui imposaient de lourdes charges sur les épaules des pauvres et des faibles. Il faut arrêter les crimes et les oppressions. Ensuite, certes, il faut reprendre le dialogue, chercher à comprendre, à rejoindre en profondeur ceux qui ont mal agi et essayer de les responsabiliser. De même, dans l'enseignement, il y a des vérités scientifiques et humaines qu'il faut enseigner parfois avec force, en écartant des erreurs.

Cette force de l'autorité doit être utilisée surtout contre certains forts qui abusent de leur puissance et de leur soi-disant sagesse pour détruire les petits et les innocents, ceux qui ne peuvent se défendre. Jésus dit qu'il aurait mieux valu que le puissant qui scandalise un petit, en le détournant de l'amour et de son innocence, soit jeté dans la mer avec une grosse pierre attachée à son cou. Paroles fortes !

L'autorité qui écoute, responsabilise et fait confiance se fonde sur la communion. Les parents qui jouent avec leurs enfants, les écoutent, les aiment, qui sont bons et justes, attirent la confiance. Ils exercent l'autorité selon ce mode de confiance pour que leurs enfants vivent, soient libres et grandissent vers la maturité. Et les enfants répondent à la confiance donnée.

Cette forme d'autorité n'impose pas la vérité mais aide à la découvrir. Il ne s'agit pas alors de faire apprendre des formules mais d'aider l'autre à expérimenter intérieurement la vérité contenue dans les formules. Cela demande un soutien suivi et prend du temps, car il s'agit de rejoindre l'autre là où il est, afin qu'il intègre la vérité peu à peu selon ses possibilités et son rythme intérieur. Cette forme d'autorité aide l'autre à avoir confiance en lui-même et dans son cheminement intérieur, et à devenir responsable.

Cette autorité qui accompagne, qui marche avec, fait place parfois à l'autorité silencieuse, aimante, cachée : une autorité qui ne fait rien, qui attend, qui fait confiance, et qui parfois veille nuit et jour, dans l'angoisse. Le père qui sait que ce n'est plus le temps même de conseiller son fils ; celui-ci est assez mûr ; il doit assumer ses responsabilités, même s'il commet des erreurs. Il en est de même pour la mère d'un fils pris par la drogue, sur un chemin de mort. Elle a exercé la fermeté, mais le dialogue est rompu, la communion est brisée. Le fils est parti. La mère attend, le cœur transpercé par la souffrance. Le fils a sa liberté. La mère ne peut le contrôler. Peut-être, un jour, ce fils reviendra ; il aura touché le fond et ne pourra plus descendre. Il n'y aura que la mort ou la remontée. Et la mère garde confiance dans la vie et parfois en Dieu. Dans ce cas, l'autorité prend le visage du faible et du pauvre. Elle n'agit plus. Elle attend le retour ; elle attend la communion. Peut-être attirera-t-elle vers elle le cœur de son fils par sa petitesse et ses larmes, son cœur brisé ; elle qui n'a pu attirer le fils par sa force et sa sagesse.

Je connais certaines personnes qui ne peuvent assumer une responsabilité active et directe sur d'autres. Ce n'est pas leur mission — peut-être parfois à cause de leur fragilité. En revanche, elles assument une responsabilité indirecte sur beaucoup de personnes par leur compassion, par l'offrande de leurs vies, par leur prière. Leur rôle est alors très caché comme dans cette troisième forme d'autorité. Par leur pauvreté, leur amour, elles jouent un rôle important dans une communauté, dans le monde.

Un père juste et bon a confié à un ami : « J'avais

pris l'habitude de dire à mon fils adolescent tout ce qu'il devait faire. Mais le contact avec lui se détériorait. Alors j'ai pris la décision de changer d'attitude et de l'écouter. Depuis lors, le contact s'est beaucoup amélioré ; la confiance a été renouée. » C'est un exemple des deux formes d'autorité.

Dans l'armée, on exerce l'autorité plutôt par le commandement, même si souvent on utilise le dialogue. À l'Arche, on cherche plutôt à exercer l'autorité par l'accompagnement et en responsabilisant les autres, mais il faut aussi utiliser le commandement.

Il y a plusieurs symboles de l'autorité juste et bonne : le jardinier, qui arrose et qui nourrit la plante, ne fabrique pas et ne contrôle pas la vie ; il facilite la croissance ; le bon berger qui conduit le troupeau et qui risque sa vie pour défendre les brebis des loups, connaît chaque brebis par son nom ; avec chacune il a une relation personnelle ; le roc sur lequel on peut s'appuyer ; la source d'eau qui lave, pardonne, rafraîchit.

Quelques assistants, à l'Arche, ont eu dans leur enfance de mauvaises expériences avec l'autorité : soit le père était absent, soit il était très autoritaire et écrasait leur liberté. Tant de gens n'ont pas expérimenté l'autorité qui aide les autres à se relever, à retrouver confiance en eux-mêmes, à devenir plus libres. Pour bien exercer l'autorité qui implique une réelle écoute et compréhension des autres, il faut du temps, de l'expérience et un soutien. Il faut avoir reçu ou expérimenté cette forme d'autorité. Pour être un bon responsable, il faut avoir vécu sous un bon responsable. Pour savoir bien commander, il faut savoir obéir. L'exercice de l'autorité demande de l'humilité. L'autorité est alors un service qui dépasse la personne. Elle est un risque, car on n'a pas toujours la certitude d'aider l'autre.

Ceux qui ont subi l'autorité écrasante, qui domine et contrôle, rejettent souvent par la suite toute forme d'autorité. L'autorité est vue comme étant mauvaise car elle tend à supprimer la liberté. Ces personnes refusent souvent d'assumer des responsabilités, elles les fuient, ou bien elles tendent à exercer l'autorité d'une façon très autoritaire. Elles ne supportent pas de confrontation qui vienne « d'en bas » comme elles ne supportent pas l'autorité qui vient « d'en haut ».

De l'anarchie on va vite à la dictature. Le manque d'autorité appelle souvent une autorité forte qui sécurise et devient contrôlante et dominante. Il n'est pas facile de trouver le juste milieu : une autorité qui écoute, qui comprend, qui sent et qui cherche à aider d'autres à grandir.

Dans les cultures latines, on a tendance à élaborer une théorie, un idéal, puis à l'imposer. La réalité doit être modelée, changée, transformée, pour ressembler à la théorie, à l'idéal. L'idéal est comme l'exemplaire, comme le plan de l'architecte. Les cultures anglo-saxonnes, par contre, sont plus pragmatiques. Elles agissent avec et dans le réel, mais souvent elles manquent de vision ; elles ne savent plus très bien où elles vont ; il n'y a pas de plan à long terme. La vraie autorité ne cherche pas à imposer un idéal, mais en même temps elle cherche à orienter la réalité vers une fin atteignable et possible ; elle n'impose pas, elle oriente.

Œuvrer pour la justice

Si la fécondité et la responsabilité se réalisent d'abord dans la famille, elles doivent se prolonger dans la société ; la famille prépare à l'exercice des vertus sociales. Quand l'être humain s'enracine et se fixe dans une terre, quand il devient fécond et responsable dans sa famille, il s'ouvre à une vie sociale plus large. Il n'est plus entouré seulement de copains comme quand il était adolescent. Il découvre un monde pluraliste où il y a beaucoup de souffrance, d'inégalités, d'injustices et où l'autorité est plus ou moins bien exercée. Il y a un conseil municipal dans le village ; il y a le gouvernement local qui prend les décisions plus ou moins vraies et justes ; dans l'entreprise, il y a des syndicats pour parer aux injustices. À tous les niveaux du monde du travail, du monde politique, l'être humain est appelé à prendre sa place pour que la justice puisse s'accomplir. Il y a des choses à dire pour l'école où se trouvent ses enfants, pour l'aménagement du village et le dispensaire local, pour le passage de l'autoroute à construire, pour régler les problèmes humains, pour que les êtres humains puissent croître harmonieusement et se rencontrer dans l'amitié et l'écoute mutuelles. S'il voit l'Évangile comme une bonne nouvelle qui donne vie et espérance, il est important qu'il puisse s'engager dans la paroisse, aider à ce que la liturgie soit plus vivante, etc. Quand on se fixe dans une localité et dans une entreprise, on découvre ses responsabilités par rapport aux autres collègues, par rapport à la société et à l'organisation dont on fait partie. Si on veut que l'organisation de la vie et de la société soit meilleure, il faut faire quelque chose. Il faut prendre sa place dans les structures. Il ne faut pas laisser à d'autres le soin de prendre toutes les décisions. Il faut assumer ses propres responsabilités comme citoyen, comme membre d'une Église, comme ouvrier, selon ses compétences et ses capacités d'action. Il faut prendre sa place dans la création de lois justes, qui permettent aux êtres humains de vivre humainement. Il s'agit de se rencontrer et de favoriser la création de milieux où les êtres humains peuvent vivre en paix et en confiance les uns avec les autres, et où chacun peut grandir en humanité, où chacun se sent respecté et trouve les moyens nécessaires pour communiquer, vivre et croître. Il s'agit de lutter en faveur de tout ce qui permet un accroissement d'humanité et une vraie liberté et contre tout ce qui déshumanise, écrase, rend esclave. Parfois de tels engagements amènent le rejet, l'emprisonnement, la torture, la mort. Mais n'y a-t-il pas alors la fécondité du don de sa vie ?

L'exercice de l'autorité : une école de maturation

Il faut avouer que pour beaucoup de personnes, l'exercice de l'autorité est une réalité douloureuse. Je le vois à l'Arche. Après un ou deux ans comme assistant dans un foyer, on demande à quelqu'un d'être responsable du foyer dans lequel il y a peut-être cinq personnes avec un handicap et trois ou quatre assistants. Au début, il éprouve une certaine joie à être appelé à la responsabilité : il se sent aimé, apprécié et confirmé par ceux qui l'ont nommé. Cela l'aide et le fortifie. Il se découvre certaines capacités pour le leadership, mais peu à peu il découvre aussi les aspects souffrants. Il est contesté ; les autres assistants manquent d'enthousiasme ; il est obligé de rappeler la loi, de tirer les autres de leur léthargie. Ces aspects coercitifs de l'autorité le fatiguent. Il aurait voulu être aimé ; il n'aime pas les conflits. Il découvre à l'intérieur de lui-même ses propres colères et ses dépressions. Il en a marre ; il veut démissionner ; il veut échapper à la solitude inhérente à la responsabilité. C'est parfois plus facile de laisser faire tout le monde, et de ne rien dire. Combien de parents vivent la même réalité avec leurs enfants et leurs adolescents. Après avoir essayé d'utiliser la loi, la force, les punitions, pour obliger le jeune à se plier à des règles, ils démissionnent car ils ne supportent pas les conflits et, encore moins, leur propre colère et leur violence. Ils laissent faire.

Personnellement, j'ai beaucoup appris depuis que j'ai la responsabilité de l'Arche. J'ai souffert de la responsabilité, mais en même temps, j'ai eu de grandes joies en l'exerçant et en découvrant qu'à travers elle je pouvais donner vie aux autres. Avec les années, ma manière d'exercer l'autorité a évolué. Au début, je l'exerçais comme dans la marine ; je savais ; les autres ne savaient pas. J'étais le chef ; les autres devaient faire ce que je leur demandais. C'était simple.

Cette façon de faire arrangeait certains qui étaient insécurisés et avaient besoin d'un chef solide. Cependant, elle en blessait d'autres, plus âgés, plus intérieurs, et qui avaient une vision plus claire de la communauté. Je n'apercevais pas comment, en étant fort et en prenant rapidement des décisions sans donner suffisamment d'espace à la possibilité de contradictions, je faisais mal à certains.

Durant cette époque, j'étais insécurisé par les membres de la communauté qui s'opposaient à moi dans telle ou telle orientation ou telle décision. Étant très investi affectivement dans la vie communautaire, je prenais tout désaccord pour une hostilité personnelle, c'était comme si, en s'opposant à telle ou telle décision, on s'opposait à moi. Je voyais parfois monter en moi de la colère et une certaine violence intérieure. Certes, je pouvais les contrôler et les cacher, mais elles étaient là, signe de ma vulnérabilité. Il était alors tentant de diviser les membres de la communauté en amis et en ennemis. Cela m'a pris du temps d'avoir suffisamment de recul et de paix intérieure pour comprendre l'importance d'avoir des personnes différentes dans la communauté, de respecter la différence et de voir en elles une valeur. Je n'étais pas le seul à avoir de bonnes idées et une vision pour la communauté. Celles-ci devaient venir de nous tous !

À certains moments je tendais à m'enfermer dans des choses à faire, je me cachais derrière la loi. Je me coupais des personnes par lassitude, peur ou orgueil. Quand on est à l'écoute et qu'on dialogue, on est plus vulnérable. Les erreurs, fautes et incompétences deviennent plus visibles, alors on tend à se cacher derrière un programme bien fixé d'avance. J'apprenais peu à peu à me laisser modifier par d'autres, par la réalité, à composer avec leur liberté. Le danger de toute personne en autorité est de perdre contact avec les personnes et de s'enfermer dans des idées ou des programmes qu'on veut imposer.

Je vois le danger pour certains responsables des communautés de l'Arche de s'enfermer dans un rôle administratif et de se cacher derrière la loi. C'est plus simple, plus cadré, il y a moins de risques, au moins à court terme. L'exercice de la responsabilité des personnes avec qui on est en communion est plus complexe et dangereux. Il faut être à l'écoute, dialoguer avec elles, se laisser modifier par elles, composer avec leur liberté. Le danger pour les hommes et les femmes en politique, pour les hommes d'Église ou pour toute personne en situation d'autorité, est de perdre contact avec les personnes, de s'enfermer dans les idées qu'ils veulent imposer.

L'expérience de beaucoup d'assistants à l'Arche me montre que l'exercice de la responsabilité comme service est un chemin important vers la maturation humaine. Mais il n'est jamais chose facile. Trouver le bon chemin entre la fuite des situation difficiles et conflictuelles et le besoin de s'imposer et de dominer implique un recul, une intériorisation, une force, une paix intérieure, la capacité d'écoute et de dialogue et une façon de coopérer avec d'autres pour un bien commun qui nous dépasse tous. Ces qualités ne sont pas réservées à quelques personnes ; elles sont nécessaires à l'exercice de toute forme d'autorité, en commençant par l'autorité parentale. Pour les obtenir, il faut du temps et l'aide d'amis et d'accompagnateurs à qui on peut se confier.

L'adulte : la découverte de la faute et de la culpabilité

Si les enfants et les jeunes peuvent être paralysés par la peur, les adolescents par un manque d'espérance et de confiance en soi, les adultes sont parfois paralysés plus ou moins consciemment par la culpabilité qui les enferme en eux-mêmes, les empêche de donner la vie et d'être responsables.

Déjà nous avons parlé de la culpabilité psychologique, ce sentiment imprimé dans le cœur de l'enfant à la suite d'un rejet qui lui fait croire qu'il est mauvais, et incapable de faire plaisir aux autres. Cette image blessée de soi est à la base de tous les manques de confiance en soi qu'on trouve chez l'adulte, toutes ces peurs qui empêchent les gens de parler, d'assumer une responsabilité par rapport aux autres. Cette image blessée peut être pour d'autres à l'origine d'une force qui les pousse à se racheter, à prouver par leurs activités qu'ils sont admirables.

Il y a aussi la culpabilité morale, surtout vécue par l'adulte qui a accepté une responsabilité vis-à-vis des personnes. L'adolescent est presque obligé de faire de la peine à ses parents ; il doit affirmer son identité ; il doit leur dire non ; il doit se séparer d'eux. Par contre, l'adulte qui met ses racines dans la terre de la communauté familiale s'engage envers sa femme ou son mari. Il ou elle donne sa parole d'amour et assume aussi des responsabilités par rapport aux enfants. La maturité est responsabilité et fécondité, mais cela implique des choix, de la fidélité, de la persévérance. La maturité implique des efforts pour demeurer patient, pour écouter l'autre, s'intéresser aux intérêts des autres, pour ne pas s'enfermer dans une prison d'égoïsme et de certitudes où l'on se croit le centre de tout.

On peut se laisser séduire par ses propres égoïsmes et besoins superficiels, par un désir d'augmenter son pouvoir, son influence, son salaire, au détriment de la communion, de la communauté et des responsabilités humaines. On peut être infidèle à sa parole et à ses responsabilités. On peut être un mauvais époux ou un mauvais père ou une mauvaise mère, se coupant des relations affectives. On peut mépriser les faibles et les pauvres, refuser d'entendre leurs cris, se fermer dans ses propres richesses et biens matériels, gaspiller son argent dans des choses superficielles. On peut se laisser entraîner dans la corruption et le mensonge. On peut torturer, opprimer, et tuer ; on peut abuser les enfants. Ainsi naît la culpabilité morale.

On peut rechercher des excuses psychologiques à ses infidélités ; des excuses venant des blessures du passé. Mais il reste que, par ses actions ou son indifférence, on blesse d'autres, on ne vient pas à leur aide ; on n'assume pas ses responsabilités humaines ; on ne vit pas la solidarité. Au lieu d'être fécond et de donner la vie, on sème la mort.

La culpabilité est comme un dard lancinant dans la conscience ; elle est insupportable. C'est pour cela que la personne fuit ailleurs, dans des théories et des illusions, dans une vie hyperactive, dans des plaisirs sans fin. Pour ne pas la regarder, elle trouve mille moyens de se justifier, condamnant l'autre, le jugeant. La culpabilité non avouée sort en mille accusations. La société, l'Église, les responsables, les parents, les autres sont en faute. La personne vit alors une forme de mensonge ; elle a peur d'être découverte. Cela la coupe de la source de son être et empêche une transparence et une ouverture dans les relations.

Il y a, certes, des soubassements psychologiques à la culpabilité. La culpabilité psychologique est le fondement de la culpabilité morale. Quand un enfant n'a pas été aimé et a été accusé d'être mauvais, il peut être tellement sûr qu'il est mauvais qu'il fera nécessairement des choses « mauvaises ». S'il est certain qu'il nuit à la vie de ses parents, il risque facilement de nuire à la vie d'autrui. C'est seulement quand un enfant a eu une expérience d'être aimé, quand il a eu une expérience de sa propre bonté, beauté et lumière cachées en lui qu'il peut choisir d'aimer et de donner aux autres.

La culpabilité morale renforce la culpabilité psychologique. La personne est de plus en plus certaine qu'elle est mauvaise qu'il n'y a pas d'espérance pour elle. Son image d'elle-même devient de plus en plus blessée, ce qui l'entraîne à commettre de plus en plus d'actions qui sèment la mort.

L'adolescent vit dans l'espérance ; il est à la recherche d'une terre où il peut se fixer. L'adulte retourne à la terre en s'enracinant avec d'autres. Là, nous le verrons bientôt, il va toucher toutes ces difficultés relationnelles, ses peurs et ses blocages. Il va vivre la culpabilité. Il va être comme obligé de reconnaître tout ce qui va mal en lui. Comment l'aider à se libérer de la culpabilité pour vivre la responsabilité et la fécondité d'une façon réaliste et humble ?

4

La vieillesse :
l'âge de la sérénité et des deuils

La vieillesse

L'année dernière, j'ai pris officiellement ma
retraite. Né en 1928, j'ai actuellement soixante-six
ans. Je sens encore plein d'énergie en moi mais je sais
aussi que, progressivement, je termine mes activités
concrètes pour l'Arche ; c'est le début de ma vieillesse, la dernière étape de ma vie.

Depuis 1980, j'ai quitté la responsabilité de la
communauté de l'Arche ; peu à peu j'ai quitté toute
fonction dans la communauté. Ce changement a été à
la fois un soulagement et un deuil. Un soulagement
car être responsable d'une communauté aussi importante que celle à Trosly-Breuil est une tâche lourde.
Il y a tant de choses à faire ; il ne s'agit pas seulement
de faire marcher une institution complexe mais aussi
d'être responsable d'une communauté, c'est-à-dire, de
personnes. Je n'aime pas les conflits. J'ai tendance à
prendre trop personnellement les critiques. Or un responsable doit savoir gérer les conflits et accueillir les
critiques. Quitter la responsabilité fut alors vraiment
un soulagement. Mais c'était aussi un deuil. Lors-

143

qu'on a l'habitude de prendre des décisions, c'est difficile soudainement de n'avoir plus à le faire. Quand durant seize ans beaucoup de personnes se sont référées à vous pour les choses communautaires, c'est pénible d'accepter qu'elles se réfèrent à quelqu'un d'autre. C'est dur de perdre le contrôle des personnes et des situations.

La vieillesse peut être un temps heureux. Certains s'engagent dans de multiples activités qui les intéressent ; d'autres se sentent enfin libérés des tâches d'exécution et de pouvoir ; ils n'ont plus besoin de prouver leurs capacités. Ils peuvent faire toutes les choses qu'ils n'avaient pas le temps de faire ; ils peuvent ouvrir leur cœur aux autres ; les écouter car ils n'ont plus rien à défendre ; ils peuvent vivre la communion et prendre le temps de célébrer et de prier. Mais il faut du temps pour faire le deuil des activités plus grandes, ces activités compétitives qui prouvaient notre valeur et notre importance. Il y a alors le vide qui apparaît en nous, un sentiment de mort, de tristesse et d'abandon. Parfois montaient en moi de terribles colères car je me sentais lésé, mis de côté, dévalorisé, peu reconnu. La vieillesse est un passage vers la terre de la communion, vers la faiblesse acceptée. On retrouve ce qu'on avait perdu, enfant, en cherchant une identité de pouvoir et de succès ; on retrouve la beauté et la simplicité de la vie quotidienne. Mais pour que la communion dans le quotidien remplisse le vide, il faut savoir passer par des moments difficiles. J'ai dû passer par eux. J'ai dû apprendre à vivre des deuils.

Le deuil

Le deuil, c'est perdre quelque chose de vital, quelque chose qui remplit l'esprit, le cœur et qui éveille et qui prend beaucoup d'énergie. Cette perte laisse un vide intérieur. On se sent perdu et dans la confusion. L'énergie est là, dans son être, mais elle n'a plus d'objet à réaliser. L'ennui devient angoisse. On n'a plus de repères. Pour accueillir les grands deuils de la vieillesse et de la mort il faut passer par bien des étapes ; il faut accueillir les petits deuils qui commencent tôt, et interviennent à travers toute la vie.

À l'Arche, je vis avec des hommes et des femmes qui ont perdu avant d'avoir acquis. Ils n'ont pas eu de santé ; beaucoup n'ont pas eu de familles qui les ont accueillis avec amour, respect et tendresse. Ils ont vécu le vide avant de connaître le plein. Ils ont été séparés de leurs parents, mis dans une institution ou un hôpital psychiatrique. Certains ont refusé de grandir ; ils se sont enfermés dans la tristesse et un sentiment de mort. La vie n'a pas coulé en eux.

Perdre ce qui est cher est une réalité de toute vie et de tout âge de la vie. Pour le petit enfant, naître c'est aussi perdre la sécurité du sein de la mère ; c'est un moment d'angoisse. En perdant une sécurité, on tombe dans l'angoisse mais la vie pousse en avant, on recherche une autre sécurité. Le petit enfant, fils ou fille aînée, perd sa place d'enfant unique quand le petit frère est né. Il n'est plus l'unique centre d'attraction ; il y a un autre. Cela peut le plonger dans l'angoisse, la colère, la révolte, mais en même temps, il avance vers une plus grande autonomie.

Il n'y a pas longtemps, j'ai reçu une lettre d'une mère qui me parlait de sa fille de trente-cinq ans qui devenait très agressive avec elle. La mère ne comprenait rien à ce changement d'attitude. Sa fille, avec l'aide d'un thérapeute, commençait à prendre conscience d'une immense colère en elle à l'égard de sa mère, colère qui est née quand, à l'âge de deux ans, elle avait été placée par sa mère chez sa tante au moment de la naissance du deuxième enfant. Elle avait alors perdu sa mère sans rien comprendre. Elle a cru qu'elle était abandonnée. Cette colère violente cachée en elle depuis trente-trois ans a soudainement fait irruption dans sa conscience. Le deuil provoque souvent la colère. Il est important de se libérer par la parole de ces colères, enfermées dans l'inconscient, qu'on n'a jamais osé exprimer. C'est ainsi qu'on peut réellement faire le deuil, accepter de perdre, car on peut en parler et comprendre ce qui s'est passé et, si nécessaire, pardonner à la personne concernée.

Un de mes amis terminait un doctorat en philosophie. C'était un homme brillant. On lui avait déjà proposé un poste d'enseignement important au Canada. Son avenir était assuré. Puis il est tombé malade et on a découvert une tumeur au cerveau. Après une opération délicate, il ne pouvait plus lire. Pendant deux ans, il a vécu dans la confusion, la révolte, la colère. Pour lui, c'était comme si toute sa vie s'était écroulée. Il était totalement désorienté. Progressivement, il a commencé à découvrir les joies de la vie relationnelle et à écouter les autres. Après deux ans, il a pu dire à un ami : « Maintenant je peux accepter tout ce qui s'est passé. Autrefois, je vivais pour les livres et les idées. Maintenant que je ne peux plus lire, je vis avec et pour des personnes et je suis heureux. » Il s'est orienté vers l'écoute et le soutien des personnes en difficulté. Il avait fait le deuil de la philosophie.

Je suis beaucoup en contact avec des mamans qui vivent le deuil de l'enfant de leurs rêves : l'enfant en bonne santé. Quand elles ont découvert que leur enfant avait un handicap mental grave, leur monde intérieur s'est écroulé. C'est quelque chose de terrible et d'incompréhensible de donner naissance à un enfant avec un handicap lourd. Tout de suite, les parents se sentent coupables et posent la question : « Qu'est-ce que j'ai fait de mal pour avoir un enfant comme ça ? » C'est le cri, souvent non formulé, de beaucoup de parents. Cela prend du temps pour les parents d'accueillir la réalité, de ne pas être submergés par la déception. Nous vivons tous avec des projets pour nous-mêmes, nos enfants, nos amis. Si la vie ne se déroule pas selon nos plans, naissent alors la déception, la colère, la révolte, la tristesse, les accusations.

Pour ceux qui s'élancent dans un idéal, il y a parfois le temps de la déception, le temps de la dure réalité. Pour certains, le mariage apparaît comme le bonheur, ce bonheur à deux où on va vivre l'amour. Puis, vient le temps où on prend conscience des limites de l'autre et de ses propres limites ; on prend conscience de la pauvreté même de l'amour qui peut se transformer en colère et en haine. Plus les rêves furent grandes, plus la retombée sur terre est dure.

Certains, qui se donnent à un mouvement idéaliste, vivent cette même déception. Cet idéal peut être de l'ordre politique : tant d'hommes et de femmes ont vu dans le communisme un idéal de vie. Par la suite, ils ont été déçus par la corruption interne et les mensonges. De même, il y a ceux qui ont été déçus par une communauté religieuse, par l'Église, par l'Arche. Ils ont voulu donner toute leur vie à la communauté. Puis, ce fut la découverte de la réalité décevante : des membres de la communauté fermés sur eux-mêmes, jaloux de leurs privilèges, difficiles de caractère, des conflits internes, l'autorité mal exercée, etc. Perdre l'idéal amène à la confusion et à la colère. C'est comme si on nous avait abusé en faisant miroiter devant nos yeux un idéal qui n'était qu'illusion.

Une des plus grandes souffrances que j'ai constatées est celle de la jeune fille qui désire se marier mais la rencontre ne se fait pas. Une personne m'a avoué qu'elle ne pourrait jamais être heureuse si elle ne se mariait pas. Elle disait en somme que si elle n'était pas choisie par quelqu'un elle n'existerait pas. J'avais beau suggérer que le mariage n'apporte pas toujours le bonheur, que tant de mariages se cassent ou se transforment en conflits, qu'il y a parfois beaucoup de difficultés avec les enfants, etc., rien ne pouvait la débloquer. Ce n'est pas le raisonnement qui aide quelqu'un dans le deuil. Il lui faut autre chose. La découverte d'une autre joie, d'une autre plénitude malgré (ou à cause) des deuils. Ce n'est pas en disant à une maman que son enfant avec un handicap est beau, qu'il sera capable de faire certaines choses et pourra développer ses dons, qu'elle acceptera son enfant. Il lui faut une nouvelle expérience qui fera que « son deuil se changera en allégresse ». C'est une promesse de Dieu transmise à Jérémie. Dieu dit à son peuple : « Je changerai leur deuil en allégresse, je les consolerai et les réjouirai après leur affliction[1]. » Après l'expérience de la vie communautaire et d'autres expériences plus intérieures, la jeune femme en quête du mariage a commencé à découvrir que le bonheur n'était pas lié à l'amour d'un homme. Ce bonheur se trouvait à l'intérieur d'elle-même. C'est une attitude par rapport à la réalité et aux événements. L'expérience de Dieu l'a aidée à découvrir qui elle était, que la vie en elle était belle, qu'elle avait une valeur unique qui pouvait s'épanouir, que l'amour

---

1. Jr 31, 13.

et la fécondité qu'elle attendait étaient possibles sous d'autres formes.

Un assistant de l'Arche m'a avoué que la grande blessure de sa vie était que son père le méprisait. En effet, il était très différent de ses frères qui avaient réussi dans les affaires et avaient de belles situations. Lui n'avait pas réussi. Il souffrait terriblement du regard dédaigneux de son père. C'est une souffrance insupportable pour un fils que de ne pas répondre aux attentes de ses parents. Il s'est alors glissé dans l'Arche. Il n'avait pas choisi positivement d'y être ; il ne trouvait pas d'autre solution pour son avenir. Peu à peu, il a découvert la force de la vie communautaire, la vision humaine et chrétienne de l'Arche. Il a découvert ses capacités d'action, ses possibilités d'assumer des responsabilités. Il a découvert la foi et l'amour de Jésus. Il a pu alors constater que, si ses frères avaient réussi extérieurement, il leur manquait peut-être une dimension de joie et de foi, et des motivations profondes. Son deuil a été changé en allégresse.

Les deuils de la vieillesse commencent en pleine vie d'adulte. Il y a, ce qu'on appelle, les deuils des quarante ans qui en réalité sont les deuils de l'adolescence prolongée dans la vie d'adulte. La vie n'est plus devant soi, elle est derrière. La découverte qu'on ne peut plus rêver comme autrefois. Les choix sont faits, il y a beaucoup moins de possibilités de changement et d'une nouvelle vie. Et peut-être est-on devant toutes sortes de difficultés dans la famille et au travail auxquelles on ne s'attendait pas. Et puis, parfois, on travaille avec des personnes plus jeunes, qui nous dépassent dans la compétence et la promotion humaine. Tout cela est signe de la vieillesse qui approche. Cela prend du temps pour trouver le rythme de vie et la nourriture spirituelle nécessaire pour changer d'attitude et accueillir la réalité avec sérénité. Parfois, le refus d'accepter ce passage de la quarantaine amène l'homme ou la femme à revivre son adolescence ou à vivre une adolescence qu'il n'a pas vécue. Il cherche alors un nouveau risque affectif qui souvent ne peut aboutir positivement. De fait, ce deuil de la quarantaine est différent pour l'homme et pour la femme, car celle-ci va vivre une expérience de finitude avec la ménopause ; elle ne pourra plus être féconde biologiquement.

Un des plus grands deuils de la vie, c'est le deuil de l'honneur, le fait d'être méprisé, vu comme quelqu'un qui a trahi une cause. L'immense souffrance de Jésus après tout le succès qu'il a remporté : la foule qui le suivait et le voyait comme un prophète, comme le Messie qui allait apporter la libération au peuple juif humilié et écrasé. Puis, le rejet par ce même peuple. Il est incompris et abandonné par ses amis. La foule qui criait le dimanche des Rameaux : « Hosanna, Hosanna au fils de David, roi d'Israël », criait le vendredi : « Crucifie-le, Crucifie-le », avec en sous-entendu, « il nous a déçus ». C'est une immense souffrance d'être abandonné par ses amis qui ont perdu confiance en nous. La panique la plus profonde que je peux vivre, c'est cette peur-là. Sous certains angles, l'Arche est une réussite, bien que je sois convaincu que tout cela n'est pas mon œuvre mais celle de Dieu ; il y a une certaine paix et joie à se savoir porté et aimé par tant d'amis, de frères et de sœurs, d'avoir été choisi par Dieu pour vivre cette réalité de l'Arche, d'avoir eu une vie pleine et féconde. Perdre tout cela, perdre la sécurité, l'amitié et l'intimité des frères et des sœurs, se sentir dévalué, rejeté, condamné me paraît l'ultime deuil. Être dépouillé à ce niveau-là crée une panique en moi. En même temps, il y a la promesse de Dieu : « Je changerai leur deuil en allégresse. »

Plus on est rempli par quelque chose, par quelqu'un, par un projet, par une fonction, par l'amitié et l'honneur, par un idéal de vie qui stimule et attire, plus la retombée est dure quand cette réalité s'effondre. On se trouve soudain sans vie, sans goût de vivre. C'est la dépression, un sentiment de mort. On est perdu et dans la confusion. Il faut du temps alors, pour que les énergies reviennent, qu'un nouveau projet s'élabore, qu'on reprenne goût à la vie.

Les psychologues, et surtout ceux qui ont accompagné des personnes atteintes d'un cancer qui mène vers la mort, ont décrit les différentes étapes de l'accueil de cette réalité, mais ces étapes sont les mêmes pour tous les deuils. D'abord, il y a le refus de croire : « Ce n'est pas possible ! » Elles courent vers un autre médecin. Jusqu'au jour où elles ne peuvent plus nier la réalité. Alors tout s'effondre et c'est la révolte, la colère par rapport au réel, par rapport à Dieu, par rapport à l'autre. On se ferme dans la colère : « Pourquoi moi ? » Mais on ne peut rester dans la révolte, on cherche des portes de sortie. On va essayer de faire changer la réalité en négociant avec Dieu, avec son destin. « Si je dis telle prière, ou si je fais tel pèlerinage ou si j'arrête de fumer, si, si, si... » Mais rien ne change, alors on aboutit à la dépression, la tristesse. On se ferme, jusqu'au jour où quelque chose se passe : un rayon de soleil entre dans le cœur, il y a une rencontre ; alors on accueille le réel, tel qu'il est. On découvre qu'on n'est pas là pour fabriquer la réalité mais pour l'accepter et découvrir dans cette réalité une lumière, un nouvel amour, une présence. Beaucoup de passages impliquant des deuils peuvent cependant être facilités si on les prépare et si on les

151

choisit au lieu de les subir. Ainsi on peut se préparer pour le passage de la quarantaine ou de la retraite.

Vivre mes propres deuils

J'ai dû moi-même passer à travers des deuils, mais le temps du vide n'a jamais été très long parce que je n'avais pas consacré toutes mes forces à une œuvre unique. Faire naître et conduire la communauté n'était pas ma seule occupation. J'avais toujours gardé des préoccupations intellectuelles. Tout en étant en situation d'autorité, je vivais aussi les joies de la communion avec les membres de ma communauté et des amis à l'extérieur. Depuis 1968, je donne des retraites, j'annonce l'Évangile, la bonne nouvelle de Jésus, non seulement aux communautés de l'Arche et Foi et Lumière mais à d'autres personnes désireuses de mettre leur vie sous la lumière de Jésus, de se libérer de leur égoïsme et de leurs peurs qui les paralysent, de mettre en concordance leur vie de foi et leur vie quotidienne. Et j'ai toujours gardé une vie de prière et de communion avec Jésus. Maintenant, je me sens heureux dans cette vie beaucoup moins prise par des projets, des choses à faire. J'ai moins besoin de prouver ma valeur. Je suis paisible en laissant d'autres organiser et contrôler.

Mais d'autres deuils viendront dans l'avenir, quand je n'aurai plus d'énergie, quand je serai malade, quand je n'aurai plus la possibilité d'apporter mon aide par des conseils, par l'amitié, l'accompagnement ; quand, au contraire, j'aurai besoin de l'aide d'autrui car je serai devenu faible. Ces dépouillements seront nécessaires pour m'amener encore plus près de la réalité de mon être, car je suis encore attaché à beaucoup de choses, à un certain besoin d'être reconnu et estimé.

Il y a encore des systèmes de défense autour de mon cœur ; il y a encore des murs à faire tomber pour que je sois davantage en contact avec la source de mon être et que je devienne ce que je suis en réalité et en profondeur.

Pour vraiment trouver la communion plénière avec Dieu, je sais qu'il faut aller au fond de l'abîme pour remonter encore plus vivant.

Tous ces deuils nous font découvrir combien l'être humain pour être pleinement lui-même a besoin de vivre des étapes différentes. Il faut la confiance de l'enfant, l'audace et l'espérance de l'adolescent, la stabilité, la fécondité, la responsabilité de l'adulte — même si à chacune de ces étapes les motivations sont mêlées, ambivalentes. Certes, dans les choses belles qu'on fait et dans les luttes qu'on mène pour la justice, il y a une recherche de soi et un besoin de se prouver ; mais ces actes ont aussi leur beauté et leur vérité. Ils sont aussi nécessaires pour l'accomplissement de l'être. Les deuils aussi sont nécessaires ; ils sont comme un dépouillement : un dépouillement pour revenir à l'essentiel et à la communion. Il n'y aura plus alors de rêves, de fuites en avant, de dépendance à l'égard des autres et de leurs regards admiratifs ; on ne peut plus se cacher ; il y a seulement la pauvreté de son être, mais aussi sa beauté en tant que personne humaine, la vérité de son être et de sa conscience devant Dieu, la rencontre de la communion.

La fin de la vie

Nous verrons dans les prochains chapitres comment une vraie expérience de Dieu se révélant à nous dans notre pauvreté est le moyen le plus profond de vivre les deuils et de dépasser les frustrations de la vie, pour vivre dans le réel. Le danger de l'être humain est de rester fermé et centré sur soi-même et ses projets, attaché à sa réputation et à sa gloire, de vivre dans l'imaginaire. La vie humaine, nous l'avons dit, est un chemin où l'on devient ce que l'on est, où l'on trouve son identité profonde et où l'on s'ouvre progressivement aux autres. Il s'agit d'être, et d'être ouvert. Les deuils nous détachent de ce qui nous gardait fermés. Mais ce n'est pas pour autant qu'on s'ouvre. Le deuil peut amener, nous l'avons dit, des angoisses, la révolte et la dépression. La taille fait mal. On risque de se fermer alors sur soi. Mais c'est bien aussi dans le deuil que peut se réaliser le renouveau à travers des gestes de communion, une expérience de Dieu. Humblement, on s'ouvre aux autres, à l'univers, à Dieu.

Le dernier âge de la vie est celui des deuils et des pertes qui préparent à la mort finale. Les forces diminuent, la santé est atteinte, la mémoire s'affaiblit, les vieillards se sentent moins capables d'affronter des conflits, ils perdent leurs amis. C'est alors que la fin de la vie ressemble aux débuts : le vieillard incontinent, qui a besoin d'être nourri, lavé, vêtu, qui ne communique plus tellement par la parole mais qui communie avec un autre à travers le regard, le toucher, le sourire, le corps, ressemble au petit enfant. On est conçu et on est né pour la communion. On redevient faible et petit pour redécouvrir le sens de notre vie humaine : la communion.

La vieillesse et l'agonie

Quelle que soit la trajectoire d'une vie, la vieillesse demeure l'âge souffrant. Il y a certes ces croissances vers une vie de douceur et de bonté, le retour à la

communion et à l'humain, les grands-parents entourés de leurs enfants et de leurs petits-enfants. Il y a
aussi — et peut-être dans la majorité des situations
aujourd'hui où les familles sont éparpillées — les
grands-parents (ou celui ou celle qui reste vivant) qui
ne peuvent plus demeurer chez un des enfants. Ils se
sentent seuls et abandonnés. De nos jours, beaucoup
de personnes âgées demeurent dans un état de tristesse, de vide intérieur et d'isolement. Beaucoup sont
veufs et vivent cruellement le deuil de leur compagne
ou compagnon de vie. Beaucoup passent leurs temps
devant la télévision, par facilité, pour tuer le temps,
ou ils se ferment sur quelqu'un, le possédant, lui refusant la liberté. Ils vivent dans l'ennui ou la peur.
Beaucoup ont dû se retirer dans des maisons de
retraite, coupés ainsi du monde, des autres générations, de leurs amis, de leur environnement, sans soutien culturel, affectif et spirituel. La souffrance de
beaucoup de vieillards est intense. Ils se sentent inutiles, non voulus, un poids pour leurs enfants. Ils manquent de force, d'énergie, et d'intérêt pour lire. Ils
attendent qu'on fasse pour eux. Le plus difficile pour
chacun semble être le vide intérieur, l'inquiétude,
l'angoisse. Pour un rien, ils tombent dans l'affole-
ment. Tous les symptômes de la communion brisée
dont on a déjà parlé chez l'enfant remontent à la
conscience : sentiment de culpabilité, de non-valeur,
de dépression, de révolte.

Dernièrement, j'ai eu le privilège d'être proche de
deux personnes âgées : ma maman et le Père Thomas.
Tous les deux étaient sous certains aspects remplis de
paix, de sérénité, d'accueil du réel et des autres, et
surtout des personnes en détresse ou qui se sentaient
seules. Mais chez tous les deux, quelle angoisse, quelle
souffrance intense à certains moments ! Le dépouillement d'énergie, la prise de conscience de leurs limites,

les manques de délicatesse des proches, un monde qui semblait les dépasser ou les laisser seuls, impuissants, perdus, les ont amenés parfois à des paroxysmes d'angoisse et de souffrances intérieures ; personne ne pouvait alors les rejoindre. Que dire sur cette angoisse ultime, ce sentiment terrible d'être abandonné, non voulu, sentiment de mort avant l'heure, de mort intérieure ? Peut-être que, plus la vie a été pleine, remplie de lumière et de clarté, plus cette angoisse, ce doute et ce sentiment d'échec apparaissent effroyables.

Personnellement, je commence à saisir un peu ces affres d'angoisse. Quand les nuits sont longues, le sommeil loin ; quand il n'y a pas d'énergie pour penser, prier ou lire ; quand le corps paraît nerveux, électrifié ; quand l'imaginaire, sur lequel il y a peu de prise, prend le dessus ; quand naissent des sentiments de peur, de panique, de culpabilité... la nuit paraît parfois si longue et l'aube encore si loin !

Oui, il y a encore l'offrande, mais elle semble si fragile ! La foi, un fil si ténu, mais elle donne un peu de cette espérance qui demeure.

La mort

Dans les communautés de l'Arche, nous avons vécu beaucoup de morts. Il n'y a des morts très douces, très belles, celles d'Agnès, de René, de Jacqueline et bien d'autres. Ils se sont affaiblis progressivement, entourés de leurs amis et des autres membres de leur foyer. Ceux-ci partageaient régulièrement entre eux, au sujet de leur ami mourant, et priaient avec et pour lui. Puis, un jour, un soir, la petite flamme de vie si fragile s'est éteinte.

Il y a des morts plus douloureuses, les personnes mortes seules à l'hôpital. On ne s'y attendait pas. La mort nous a été comme volée. Les amis n'ont pas pu entourer la personne et lui dire « à Dieu ».

Puis il y a eu des morts violentes, terribles, choquantes. Celles d'assistants jeunes et beaux, pleins de vie, tués sur le coup dans un accident de voiture. Ces morts laissent un vide, provoquent l'angoisse et la peur. Elles sont comme une mise en cause qui place chacun devant sa propre mort : « Ce pourrait être moi. »

Dans nos communautés, nous tâchons de célébrer la mort. Célébrer veut dire ici ne pas la fuir, la regarder en face, parler d'elle, parler de la personne qui nous a quittés, parler de sa beauté, parler de notre espérance chrétienne, parler aussi de la souffrance, peut-être de notre révolte. Célébrer, c'est aussi la façon de veiller le corps, entourer la famille, vivre la messe des funérailles.

Il y a quelques années, François est mort du cancer dans notre communauté. Il a été très entouré par ses amis, soutenu par le Père Thomas. Il est mort quelques instants après avoir reçu la communion des mains du Père Thomas. Comme d'habitude, nous avons veillé son corps. Jacqueline, une assistante, a rencontré deux personnes avec un handicap de la communauté qui lui ont demandé : « Pouvons-nous voir François ? » Ils sont venus dans sa chambre et ils ont prié ensemble. « Peut-on l'embrasser ? — Bien sûr », a répondu Jacqueline. Jean-Louis l'embrassa et s'exclama : « Merde, il est froid ! » Et tous les deux sont partis se disant l'un à l'autre : « Maman va être étonnée quand je lui dirai que j'ai embrassé un mort. »

Ces deux hommes, avec leurs propres handicaps, ont pu ainsi rencontrer la mort sans peur, sans drame. Ils ont pu l'intégrer comme une réalité naturelle. C'est la route pour chaque homme et chaque femme. Comme la vie peut être belle, la mort aussi.

Cela ne veut pas dire que certaines morts ne sont pas un scandale. Il y a des massacres horribles ! Il y a ces morts soudaines qui laissent un vide profond. Mais le scandale est surtout pour ceux qui restent et qui attendent leur tour.

IV

LA CROISSANCE HUMAINE

L'Arche est un lieu de croissance pour des personnes. D'abord pour les personnes avec un handicap mental. C'est merveilleux de voir Claudia aujourd'hui : jeune femme paisible, sécurisée, heureuse, sachant faire plein de choses. Elle a vécu une véritable résurrection depuis son arrivée dans notre communauté de Tegucigalpa il y a près de vingt ans, quand elle était cette petite fille apparemment folle. Beaucoup d'hommes et de femmes de nos foyers trouvent progressivement une paix intérieure, leur identité, et ils s'ouvrent aux autres.

Les assistants grandissent aussi beaucoup. Eux aussi découvrent qui ils sont, un sens à leur vie et une espérance. Ils assument des responsabilités. Ils s'ouvrent aux autres, et spécialement aux différents ; beaucoup trouvent une terre où leur vie profonde peut s'épanouir et donner des fruits.

La croissance humaine est au cœur de la pédagogie de l'Arche ; elle est au cœur de la réalité humaine. L'être humain est un être en croissance ; il évolue, grandit, change, fait des passages, acquiert une identité et s'ouvre aux autres. Et cette croissance qui commence le jour de la conception, au moment de la fécondation et à l'apparition de la cellule initiale, continue jusqu'au dernier jour, au moment de la mort, à travers les acquisitions et les deuils, à travers tous les gestes d'amour, à travers tous les moments d'action, de communion et de souffrance.

La vie, ou ce dynamisme initial communiqué à la conception de l'enfant, est une réalité puissante, cachée dans la cellule initiale. Cette vie n'est pas seulement physique, permettant la croissance inéluctable du petit corps avec tous ses organes, mais aussi psychique et spirituelle. Le dynamisme de vie caché dans le corps va pousser le petit être à naître, à se cacher dans les bras de sa mère, à jouir de l'amour de la mère et du père, à avancer dans la vie, à acquérir des connaissances, à se séparer de ses parents, à aimer d'autres, à s'ouvrir à l'univers à travers l'amour et les connaissances, à créer et à procréer. Il n'y a pas plusieurs vies ou dynamiques de vie qui se juxtaposent : une vie qui fabrique le corps, une autre qui produit la relation et une autre la connaissance et la créativité. Tout est unifié. Tout est un, ou plutôt tout est contenu dans cette vie cachée dans la cellule initiale. Celle-ci est à l'origine de tout mouvement ; elle est à l'origine de toute croissance physique mais aussi de toute vie relationnelle, toute acquisition de connaissance, toute activité spirituelle.

Cette vie est comme l'eau qui coule dans une petite rivière. Elle tourne et elle fait des contours. S'il y a obstacle, elle le contourne. La souffrance est le premier obstacle qu'elle rencontre. L'intolérable rocher de souffrance, qui apparaît à la vie comme son opposé, comme une annonce de mort. La vie contourne cette horrible réalité ; elle ne peut la supporter ; elle avance ailleurs.

Cette première souffrance de l'enfant, qui cause la blessure initiale, est un avant-goût de la mort, car l'enfant tout seul est trop petit, faible, vulnérable pour pouvoir vivre. Il a besoin d'adultes pour être nourri et protégé des forces hostiles de la société et de la nature. Ne se sentant pas aimé, l'enfant vit le traumatisme de la peur de la mort. Tout son être est dévasté, dans un état de détresse et de panique devant cette réalité horrible. La vie ne peut supporter son opposé, la mort. La vie refuse de disparaître. Elle crie, elle se cabre, elle cherche à se protéger, à survivre. Par une force de violence cachée elle contourne le réel intolérable. La déviation s'opère grâce à des moyens puissants pour oublier la souffrance vers les rêves, vers les projets, vers une autre forme de relation que celle de la communion, une relation où l'on cherche à se prouver en face des autres, où l'on cherche l'admiration et la domination. La vie continue ainsi à couler. Si la vie n'est pas assez forte ou violente, si elle n'a pas été appelée par l'amour, comme c'est le cas de beaucoup de personnes qui viennent à l'Arche, alors elle se protège derrière la dépression, la folie ou les rêves. La vie ne peut plus avancer. Elle ne coule plus dans la sensibilité. C'est comme si elle se fermait et se cachait. Vu de l'extérieur, l'enfant boude. Il se coupe de la relation. Vu de l'intérieur, c'est la vie comme un trésor qui se cache, pour reprendre la route si un jour quelqu'un l'appelle.

La croissance

Contenu dans la cellule initiale de tout être humain, il y a ce programme étonnant qui va fabriquer le corps de l'enfant à la ressemblance du corps de la mère et du père, à la ressemblance des grands-parents, des arrière-grands-parents et des ancêtres. Cette vie est transmise de génération en génération, transmettant la couleur de la peau, la taille du corps, les maladies génétiques, le type de cerveau, etc.

Dans la vie, il y a du déterminé, mais il y a aussi de l'indéterminé. Nous en parlerons plus loin. La vie est déterminée — le nez aura telle grandeur — mais elle est aussi souple, accueillante à la réalité, elle se modifie selon l'environnement et l'accueil ou le non-accueil reçu. Elle s'adapte. Le corps s'épanouit, la vie coule si elle trouve l'amour ; ou elle se crispe, se tend en face d'obstacles ; elle se protège en face de la peur et de la souffrance. Les systèmes de défense montent, le corps se fabrique et se modifie en créant des blocages par rapport à la vie ou elle se force en avant par une sorte de violence.

La croissance inspirée et poussée par la cellule initiale, va continuer toute la vie, jusqu'au bout, au moins dans le monde de la communion. Elle est croissance mais aussi décroissance. À partir de vingt-deux ans, chacun commence le voyage vers la faiblesse. Étonnante programmation ! Chaque jour 100 000 cellules vont mourir dans le cerveau, sans remplacement ! Heureusement, il y en a beaucoup. Ainsi, chaque jour, le cerveau, mais aussi le cœur, les reins, le foie se rapetissent jusqu'au jour où le corps s'affaiblit de plus en plus et un des organes essentiel claque. La vie s'arrête alors.

Je disais, dans le chapitre précédent, que j'étais émerveillé par la ressemblance entre le commencement et la fin de la vie, entre le petit enfant et le vieillard. Mais il y a une différence fondamentale. L'enfant n'est pas conscient intellectuellement ; il ne choisit pas. La vieillesse, par contre, vient après une vie de choix et de non-choix. Elle est le fruit ultime de ces choix. Le vieillard entre dans la faiblesse rempli de relations, de connaissances, d'expériences ; son cœur plein de tout ce qui l'a rempli ; parfois vide de tout ce qui lui a manqué. Il avance vers le passage final de la mort avec un cœur gonflé de rencontres, affaibli par la maladie, creusé par la souffrance, rendu petit pour accueillir une nouvelle communion.

Une semence qui grandit

L'autre jour, à table, dans mon foyer, à l'Arche, Jean-François, Christophe, Laurent et Patrick parlaient de leur travail au jardin et des toutes petites semences, grosses comme des grains de sable, qu'ils mettent dans la terre. Ils les couvrent, les arrosent et quinze jours plus tard ils voient sortir de terre des petites pousses vertes. Quand ils voient les semences, ils ont du mal à distinguer qui est quoi, est-ce un dahlia, une tomate ou un radis ? Plus tard, ils peuvent les différencier. Cachée dans chacune de ces petites semences il y a une vie, un mystère, une réalité qui n'apparaîtra que si certaines conditions sont remplies. La semence a besoin d'une bonne terre, d'espace pour grandir, d'eau, de soleil et d'air. Il y a des lois de croissance différentes pour chaque type de semence. Pour bien les faire pousser, pour que chacune fleurisse et donne des fruits, il faut un bon jardinier qui connaisse bien les besoins et les lois de chacune. Et quand il s'agit des arbres fruitiers et de la vigne, le jardinier ou le vigneron doit faire mal à l'arbre. Il faut qu'il le coupe, le blesse, taille les branches pour qu'elles portent encore plus de fruits.

Il en va de même pour l'être humain. Il y a des lois précises pour la croissance humaine. Il y a eu des enfants élevés par des animaux (l'un d'entre eux vit dans une communauté de l'Arche), mais ils n'ont pas connu un véritable développement humain, ni pu accéder au langage humain. Pour faire un être humain

165

il faut être élevé et aimé par des humains. Les théra-
peutes versés dans les sciences psychologiques savent
qu'il y a ces lois de la croissance humaine. Si ces lois
ne sont pas respectées, l'enfant se développera mal, et
aura du mal à vivre humainement. L'enfant a le droit
de recevoir ce dont il a besoin pour devenir lui-même,
pour devenir humain.

Le déterminé et l'indéterminé dans la croissance humaine

L'être humain est si différent du monde animal !
Les oiseaux volent sans entraves, avec une telle
liberté, une telle joie, un tel enthousiasme ! Ils chan-
tent et communiquent facilement entre eux. Les poissons de la mer nagent, les insectes grimpent, les
animaux courent. Chacun se nourrit et procrée. Chacun a son identité. Chacun est ouvert à recevoir et à
donner au tout de l'univers. Mais cette identité et
cette ouverture sont données par la nature. Elles sont
déterminées, programmées.

Il n'en va pas de même avec l'être humain. Chez
lui, il y a le déterminé physique comme chez les animaux, il y a aussi un déterminé psychologique.
L'enfant bien accueilli pourra vivre plus facilement
une communion et une vie relationnelle avec d'autres
et avec l'univers. Par contre, l'enfant mal accueilli
aura beaucoup plus de difficultés comme nous l'avons
dit. Il y a aussi un indéterminé qui sera fonction des
choix et de la liberté humaine. L'identité se réalise à
travers les multiples choix de la vie. On choisit de
partager sa vie avec certains amis, avec une femme,
un mari ; on choisit une profession, certaines orienta-
tions et valeurs ; on choisit de s'ouvrir aux autres ou
de se fermer. Certes, derrière ces choix il y a des ins-

tincts psychologiques et une éducation qui les portent et les facilitent.

Dans cette croissance vers une identité créée par des valeurs, la personne va être en grande partie déterminée par le groupe, la famille. Elle va recevoir une foi et une confiance en certaines valeurs à travers la confiance qu'elle a en ses parents et à travers tous les gestes d'amour, de tendresse et de célébration de la vie avec eux. Elle est en communion alors avec ce qu'il y a de plus authentique et d'unifié en eux. L'enfant est suffisamment perspicace pour se nourrir de tout ce qu'il y a de vrai dans ses parents. Il se laisse imbiber de leur vie profonde. C'est une communication de confiance et de communion. Par contre, il ne pourra supporter tout ce qui est faux ou double message.

Quand il y a moins de communion et d'authenticité, l'enfant peut adhérer à certaines valeurs, acquérir une certaine foi, mais cette adhésion sera plus superficielle ; elle provient d'un besoin de sécurité et d'être reconnu. En grandissant il va être amené à poser librement des gestes en conformité avec cette foi ou en contradiction avec elle. Il va choisir des amis en conséquence. Ces valeurs vont s'approfondir en lui. Il va les choisir en elles-mêmes, se les approprier. Elles vont devenir réfléchies, confrontées avec la réalité. Il choisit ainsi un sens à sa vie.

Le sens de la vie

Dans notre monde moderne, quel sens peut-on donner à la vie ; quel sens peut-on proposer ? Tant de personnes aujourd'hui sont en recherche, tant sont perdus et ont perdu des repères éthiques, tant ne peuvent se satisfaire d'une vie purement matérialiste, de plaisirs éphémères ou d'une recherche de puissance et de succès ; tant d'entre elles sont d'une immense bonne volonté ; elles veulent la justice, la communion et la paix. Mais elles ne savent pas quelle direction prendre. La politique apparaît souvent comme mensongère ; les religions semblent souvent fermées et légalistes ; le commerce, l'industrie, la technologie semblent déshumanisants. Beaucoup de jeunes se tournent alors vers les sectes ou des mouvements politiques et religieux intégristes. Comment les aider à découvrir que notre monde n'est pas mauvais, et que chacun de nous peut faire sa part pour le rendre plus humain.

À travers mon expérience avant et dans l'Arche, j'ai découvert l'importance de deux éléments essentiels à la vie humaine et qui peuvent donner sens à la vie, tant aux personnes de bonne volonté, sans religion, qu'aux personnes qui cherchent Dieu quelle que soit leur religion. Être et être ouvert. Avoir une identité claire, et être ouvert aux autres. L'identité est reçue à travers la terre, la famille, la culture, l'éducation, à travers la santé physique, psychologique ; mais elle est aussi formée à travers le choix d'une profession, de ses dons et compétences, des valeurs et motivations fondamentales de la vie, des amis, des lieux d'engagement et à travers la recherche de vérité sur soi, sur la vie. S'ouvrir aux autres, surtout aux différents, est de les voir non comme des rivaux ou ennemis qu'on juge ou rejette, mais comme des frères, sœurs en humanité, capables de nous transmettre la lumière de vérité cachée en eux, et avec qui on peut vivre une communion.

L'ouverture n'est pas mollesse ni une tolérance sans souci de vérité et de justice. Elle n'est pas adhésion à l'idéologie des autres ; elle est sympathie et ouverture aux personnes, et en particulier aux faibles, aux pauvres, aux opprimés de toute race et religion pour vivre une communion avec eux et recevoir leur don. Elle est désir de compréhension et désir de trouver les moyens de dialoguer avec ceux qui sont différents et ceux qui exercent mal l'autorité ou qui oppriment. S'ouvrir c'est élargir la tente qu'est son cœur.

Ceux qui n'ont pas d'identité, qui n'ont pas de terre, qui n'affirment pas de valeurs claires, ne peuvent être réellement ouverts aux autres. Ils ne sauront donner car ils ne savent pas bien qui ils sont, ce qu'ils veulent et ce qu'ils peuvent faire. Ceux qui ont une identité claire mais qui sont fermés sur eux-mêmes et sur leur groupe, derrière des murs solides, sont convaincus de leur rectitude ; ils jugent et condamnent ceux qui ne perçoivent pas comme eux. Ils sont en danger d'étouffement, ou ils tendent à créer des conflits.

Ceux qui ont une identité et qui sont ouverts aux différents vont devenir progressivement des personnes de compassion, de paix et de réconciliation. Par des gestes humbles et simples, par l'écoute et la bonté, ils vont apporter paix et unité. Par leur compétence orientée vers la communion, ils vont aider d'autres à vivre plus pleinement leur humanité et à se réunir dans le partage et l'amitié.

Chaque personne a son secret, son destin

Il faut comprendre avec souplesse ces lois humaines et découvrir que dans chaque vivant il y a un système de compensation. Si la raison ne peut se développer à cause d'une maladie, l'énergie vitale coulera dans une autre partie de l'être. Il s'agit de faciliter, de reconnaître ce développement différent, pour que la personne puisse atteindre la plénitude de son être et de sa vie telle qu'elle est.

La première loi de croissance essentielle est celle de l'amour et de la communion. Pour vivre, s'épanouir, croître dans la liberté, l'être humain a besoin de trouver une autre personne qui le reconnaisse comme unique, l'encourage à grandir et à devenir lui-même. Sans cela, il se ferme, se défend, et cherche à se prouver. L'être humain a besoin d'un milieu humain de communion, de confiance, d'amitié, pour développer tout son potentiel et pour se former. Ces rencontres de communion et d'amitié qui éveillent le cœur humain se réalisent parfois dans les milieux les plus inattendus. On les trouve dans les prisons et hôpitaux psychiatriques ; parmi les mendiants, les enfants de la rue et les femmes victimes de la prostitution ; selon des modalités de bonté, de tendresse et d'un grand respect de l'autre.

Chaque être humain a son secret, son mystère. Certaines vies sont longues, d'autres courtes. Certaines personnes semblent vivre les étapes de la croissance, d'autres pas du tout. Et pourtant je crois que chacun arrive à sa propre maturité au moment de la mort. Pour certains, on voit clairement le sens de leur vie, pour d'autres, on ne le voit que difficilement. Personnellement, je crois dans l'importance de chaque personne, quels que soient ses limites, sa pauvreté ou ses dons. Il y a un sens à la vie de chacun, même si on ne le voit pas. Je crois dans l'histoire sacrée de chaque personne, dans sa beauté et sa valeur. Pour moi, la personne existe dès sa conception. Elle existe même si elle a un handicap profond, comme chez Éric ou chez Hélène.

Elle existe avec sa beauté parfois défigurée dans les hommes et les femmes de la rue, dans les prisons, chez les personnes prises dans la drogue et l'alcool ;

elle existe même chez ceux qui tuent avec brutalité et qui utilisent la torture, abusent les enfants. Chaque être est important, est capable de changer, d'évoluer, de s'ouvrir un peu plus, de répondre à l'amour, de s'éveiller à une rencontre de communion. Je voudrais transmettre cette foi dans la personne humaine et dans ses capacités d'évoluer, car sans elle nos sociétés risquent de devenir purement compétitive et paternaliste à l'égard des faibles, les enfermant dans l'assistanat au lieu de les aider à se mettre debout pour s'ouvrir à d'autres. Elles risquent aussi de rejeter ceux qui gênent, parfois même de vouloir les supprimer.

Pour croître : s'accepter soi-même

Chacun dans son secret et son mystère, avec son destin particulier, est appelé à croître. Certes, beaucoup n'arrivent pas à une plénitude de maturité, mais chacun peut avancer un peu dans l'acquisition d'une identité et dans l'ouverture aux autres. L'important n'est pas d'arriver à la perfection humaine, loin de là, mais de se mettre en route par et à travers des gestes d'ouverture et d'amour, par des gestes de bonté et de communion. Chacun, aujourd'hui, dans sa situation actuelle, dans son lieu de vie et de travail, peut faire ces gestes.

Nous l'avons dit, dans l'être humain il y a le déterminé et l'indéterminé. L'identité et la croissance humaines se forgent à travers des choix : des choix d'amis et de valeurs qu'on veut vivre, le choix de sa terre, le choix d'accepter ses responsabilités humaines.

Le premier choix à la base de toute croissance humaine est le choix de s'accepter soi-même ; accepter sa réalité telle qu'elle est, avec ses dons, ses capacités mais aussi avec ses limites, ses blessures, ses ténèbres, ses culpabilités, sa mortalité. Accepter son passé, sa famille, sa culture mais également ses capacités de croître. Accepter l'univers avec ses lois, sa place au sein de cet univers. La croissance commence quand on fait le deuil des rêves sur soi et qu'on accepte sa propre humanité, limitée, pauvre mais belle aussi. Parfois les refus de soi cachent les véritables dons et capacités. Le danger de l'être humain est de vouloir être autre ou comme un autre, voire être Dieu. Il s'agit d'être soi-même avec ses dons, ses compétences, avec ses capacités de communion et de coopération. C'est la condition pour être heureux.

Il n'y a pas longtemps, une jeune femme m'a avoué : « Je commence à être heureuse d'être une femme. J'aime maintenant porter des jupes. » Peu à peu, elle commençait à vivre, car elle s'acceptait elle-même. Il y a des gens qui cherchent constamment à avoir une position plus importante de responsabilité mais ils vivent dans la frustration... jusqu'au jour où ils acceptent qu'ils peuvent vivre heureux dans le rôle plus humble, plus simple qu'ils ont mais qui correspond à leurs dons et à leurs capacités.

Trouver la terre et la bonne nourriture

Une plante ne peut croître que si elle s'enracine dans la terre et dans une bonne terre. De même pour l'être humain. Sa terre est sa famille, sa communauté humaine, la communauté des amis. A l'Arche, quelques mois après la mort de son père, Jean-Claude, un homme avec un handicap, a annoncé dans une réunion : « Maintenant que mon père est mort, c'est l'Arche ma famille. » Il avait choisi sa terre. La famille communique à l'enfant sa langue, ses valeurs, sa culture qui forment son esprit. Il y a des terres riches, cultivées, avec de multiples amis ; il y a aussi des terres pauvres, comme dans ce hangar près de Ouagadougou, au Burkina Faso, qui accueille une trentaine d'hommes de la rue, mendiants, beaucoup avec un handicap physique. Certes, dans cette drôle de vie communautaire il y a des explosions, des colères, mais il y a aussi une fraternité et un partage.

L'être humain doit être nourri, nourri physiquement, sinon il n'aura pas d'énergie mais il lui faut la nourriture du cœur, de l'esprit et de l'intelligence. Le chemin vers l'approfondissement de son identité et la qualité de l'ouverture vers les autres qui passent par la fécondité et la responsabilisation est long ; chacun peut sombrer dans le découragement et la lassitude, se fermer sur lui-même, ses colères et ses frustrations, rechercher des compensations qui l'enferment encore plus sur lui-même. Il faut une nourriture qui garde le cœur ouvert. Il faut aussi, pour beaucoup, une compréhension intellectuelle — je dirai philosophique — de la vie, de l'être humain, il faut nourrir le goût de vérité.

Dans l'Évangile, Jésus parle du Royaume de Dieu, le Royaume de l'Amour, qui est comme une semence lancée dans un champ. La semence, dit-il, est la parole de vie. Certaines semences tombent sur le chemin ; elles ne peuvent grandir ; les cœurs sont fermés. D'autres tombent dans une terre légère ; elles poussent vite mais meurent presque aussitôt. Ce sont les personnes sans enracinement, sans profondeur. Dès qu'il y a des difficultés, la semence de vie meurt. D'autres semences tombent dans une bonne terre mais sont étouffées par les mauvaises herbes. Celles-ci, dit Jésus, sont les séductions de la richesse et les soucis du monde. Finalement, d'autres semences tombent dans la bonne terre et portent beaucoup de fruits.

Le cœur, l'esprit et l'intelligence ont besoin d'être éveillés et nourris. Quand les personnes perçoivent leur fécondité, comment elles peuvent donner vie aux autres, elles veulent donner davantage. Certes, il y a des puissances d'égoïsme et des peurs en chacun mais quand il y a une bonne nourriture spirituelle, la puissance de l'amour surgit. Nous voyons clairement à l'Arche que, si les assistants ne sont pas soutenus et aidés pour voir le sens et la valeur de leur vie quotidienne, s'ils ne sont pas nourris et formés par des paroles de vie et de vérité, la lassitude gagne et les puissances d'écoute et d'attention aux autres baissent. Mais s'ils sont bien nourris, ils donnent vie.

Des êtres de communion, de coopération et de compétence

La communion et la confiance sont bien la base de la psychologie humaine. Elles sont le fondement de toute croissance humaine ; elles atteignent ce qu'il y a de plus profond dans l'être humain. Quand on vit la communion, on est et on s'ouvre à un autre, on est vulnérable par rapport à lui. On peut alors avancer vers la coopération, la collaboration. Celles-ci se vivent d'abord avec les frères et sœurs. Il y a peut-être des jalousies entre les enfants, mais peu à peu, si la famille est saine et aimante, l'enfant découvre la joie de la fraternité et de la communauté familiale. Sans cette vie fraternelle, l'enfant risque d'avoir du mal à faire certains passages ; il restera avec les difficultés de l'enfant unique, où tout est centré sur lui. Avec les frères et les sœurs, l'enfant apprend à recevoir les coups de la vie communautaire, à partager les joies et les peines quotidiennes, à se soutenir mutuellement. L'enfant découvre qu'il n'est pas seul au monde, qu'il y a d'autres avec qui il peut se lier d'amitié, il commence à s'ouvrir aux autres, à des pairs. Ce sens de la coopération va s'approfondir à l'école ; il faut avouer, cependant, que la plupart des écoles sont régies selon un mode compétitif : chacun doit réussir, gagner des prix, être le premier, pour recevoir l'admiration et la confirmation des parents. Peu d'écoles sont régies sous un mode communautaire. J'en ai vu une à Calcutta, en Inde, où les plus forts aidaient les plus faibles ; les enfants se soutenaient mutuellement. Dans certaines écoles intégrées, au Canada, où les enfants avec un handicap trouvent leur place, il y a aussi une éducation vers la communauté, la coopération et le soutien mutuel. Chacun trouve sa place, chacun a un don à exercer. Chaque enfant découvre alors que la différence n'est pas une menace mais un trésor ; elle permet la collaboration. On n'est plus dans un monde compétitif, où l'autre est un concurrent, un ennemi potentiel ; l'autre est un frère ou une sœur avec qui on peut coopérer. Évidemment, ce sera à l'âge adulte, en famille, en communauté et dans le monde du travail qu'on pourra découvrir et approfondir la coopération comme une réalité humaine importante.

En grandissant, l'enfant découvre ses intérêts particuliers et ses dons ; c'est le début de la reconnaissance de ses compétences : en sport, dans l'art, dans le bricolage, dans les activités manuelles ou dans les différentes matières étudiées à l'école. Ces intérêts vont lui permettre de choisir une profession, de se former et de se spécialiser durant l'adolescence, de devenir peu à peu vraiment qualifié, au moins dans un domaine. Il va être reconnu et admiré par les parents, l'entourage et ses amis. Sa personnalité va se fortifier à travers ses compétences qui ne sont pas seulement celles de la profession mais qui peuvent aussi, par exemple, être celles de la mère de famille, excellente cuisinière et maîtresse de maison. Nous avons vu à l'Arche comment les personnes avec un handicap se structurent et forgent un aspect de leur identité dans le travail.

L'éducation est harmonieuse quand l'enfant, puis l'adolescent et l'adulte peuvent développer ces trois éléments : la communion, la coopération et la compétence. Ces trois éléments unis donnent unité à la personne. La communion l'ouvre à la relation simple et ouverte, le cœur à cœur ; la coopération l'ouvre à la vie sociale et communautaire ; la compétence lui permet de prendre sa place dans la vie. Certaines personnes, cependant, vivent des manques graves au niveau de la communion ; elles se ferment sur elles-mêmes ; elles ne vivent que pour la réalité, l'élargissement de leurs connaissances et de leurs compétences. Elles sont remplies de projets. Elles fuient la relation ; elles en ont peur. Elles ne savent pas être vulnérables par rapport à d'autres, s'émerveiller devant eux et la nature. Elles vivent la coopération pourvu qu'elles soient bien reconnues dans leur savoir-faire, et n'ont pas besoin d'écouter, de dialoguer.

De même, si l'enfant n'est pas encouragé à développer ses compétences, il risque de demeurer au niveau affectif et émotionnel. À un moment donné, il ne saura pas bien ce qu'il peut apporter aux autres.

Pour qu'une personne puisse croître vers la maturité nécessaire et prendre sa place dans la société, elle a besoin d'investir ses énergies dans ces trois domaines. Le surdéveloppement des compétences au détriment de la communion et de la coopération empêche la vraie croissance et amène un déséquilibre psychique. Il y a des personnes très adultes sur le plan des compétences mais qui, sur le plan émotionnel, sont des petits enfants criant pour être aimés. Il faut avouer que beaucoup de compétences sont développées durant la période de l'adolescence à cause de la compétition et du besoin de briller, d'être premier. C'est durant la période de la maturité qu'on peut espérer le passage vers une compétence imprégnée de communion et de coopération. Elle devient alors une compétence vraiment humaine, orientée vers le bien des autres.

Être en forme, détendu

Pour croître vers une identité plus profonde et s'ouvrir aux autres, il faut aussi savoir prendre du recul, être en forme et détendu. Si on est rempli de projets et de besoins compulsifs de réussir et d'être apprécié, ou si on est fatigué, tendu, stressé, il est difficile de s'arrêter pour accueillir les autres et les écouter. Le moteur intérieur roule trop vite. Il est impossible de faire silence et d'avoir du recul par rapport à ses motivations dans l'action, par rapport à ses peurs. Le silence du cœur est détruit par le bruit des moteurs ! Croître implique donc qu'on soit en forme, détendu dans son corps et dans son esprit, reposé. Les tensions intérieures comme le stress se logent dans le corps et empêchent la lumière d'éclairer ses actions et ses pensées. Il s'agit donc de trouver un rythme de vie, le repos nécessaire, les détentes qui donnent vie.

Je découvre de plus en plus que beaucoup de personnes ne savent pas se reposer, pour moi-même aussi, cela m'a pris du temps ! Le repos, c'est certes, dormir, mais ce n'est pas que ça. Le sommeil peut être aussi une fuite du réel, une échappatoire, une forme de dépression. Le vrai repos est le renouvellement de nos énergies pour qu'on puisse se lancer avec plus d'énergie, d'enthousiasme et d'espérance dans la réalité et la lutte pour la paix. Se reposer, c'est donc trouver de nouvelles sources d'énergies, c'est être confirmé et soutenu dans l'éveil de ces énergies, dans la confiance en sa mission et en son être profond. C'est à l'opposé de sombrer dans la tristesse, la lassitude, le manque de confiance en soi, le doute. Le repos implique la détente du cœur, les célébrations humaines et communautaires, le rire, le chant, la joie, l'humour. Le repos c'est se trouver bien dans sa maison, sa communauté et son corps.

Pour ma part, je me porte beaucoup mieux depuis que je passe le mois d'août dans un monastère. C'est le repos et le silence complet avec l'exercice physique et le temps de prière dont j'ai besoin.

Pour le peuple juif, le jour du sabbat est de grande importance. C'est le jour où on ne fait que vaquer à l'essentiel, se détendre en famille sous le regard de Dieu, sous la lumière de la vérité, non pour fuir le travail des six autres jours, mais pour avoir l'énergie de retourner à cette réalité et y imprimer la paix, la compassion, la vérité. Il faut savoir recharger ses batteries.

Souvent, à l'Arche, les jeunes assistants ne savent pas gérer leur fatigue physique ; celle-ci se transforme vite en fatigue psychologique et en stress. Cette fatigue psychologique peut alors les envahir et devenir comme un cancer qui les ronge de l'intérieur. La fatigue physique est une réalité qu'il faut savoir accueillir avec prudence ; il faut savoir lutter contre le déclenchement de la tristesse.

Le stress vient souvent d'un manque d'harmonie entre les difficultés de la vie et des responsabilités ; et le soutien, la nourriture du cœur et de l'esprit, la formation dont on a besoin pour faire face à ces difficultés. Le stress alors produit des malaises psychiques, qui sont plus ou moins insupportables. Pour se soulager de ces malaises intérieurs, la personne peut devenir dépressive, colérique, cherchant des compensations dans l'alcool ou ailleurs ; elle devient souvent excessivement fatiguée ou sujette à des maladies psychosomatiques.

Être détendu et en forme implique aussi qu'on ait trouvé un équilibre entre la communion, la coopération et l'exercice des compétences.

La notion d'espace est aussi importante pour trouver le repos. Chacun de nous a besoin de trouver son espace privé, son espace de solitude pour une véritable intériorisation. Si on ne l'a pas, si notre espace est volé est violé, s'il y a trop de pression sur nous, on tombe dans la confusion. On ne peut plus accueillir l'autre à l'intérieur de soi, le comprendre et l'aimer. Il n'y a plus d'espace intérieur. On est obligé de se défendre, la pression est trop grande. Pour que les eaux de notre cœur coulent, pour que le puits intérieur soit accessible et vivant, il faut que nous ayons notre espace, qu'il y ait une paix et une certaine détente intérieures. Pour chacun cet espace est différent. Certaines personnes ont besoin de vivre seules, et chacun en tout cas a besoin d'un temps de solitude fixe par jour, par semaine, par mois, par an.

L'accompagnement

Pour bien pousser, certaines plantes ont besoin d'un tuteur qui les aide à pousser droit. Ainsi donnent-elles davantage de fleurs et de fruits. Les personnes aussi ont besoin d'un tuteur : quelqu'un à côté d'elles qui les accompagne, qui les aide à vivre pleinement leur humanité et à donner beaucoup de fruits. Nous en avons déjà parlé dans le chapitre 3. Mais cet accompagnement n'est pas uniquement pour les adolescents qui ont besoin de ce guide spirituel ou maître de l'humain comme intermédiaire entre la vie en famille et la vie en société. À chaque âge on en a besoin. J'ai personnellement eu le privilège d'être accompagné pendant près de quarante-six ans par le Père Thomas Philippe. Il ne m'a jamais dit ce qu'il fallait faire, mais il m'a posé de bonnes questions et me mettait toujours devant le but ou la finalité de ma vie. Il savait que, si on aimait suffisamment le but, on choisirait les bons moyens.

À présent, je n'ai pas de responsabilités à proprement parler dans ma communauté. Cependant, je fais beaucoup d'accompagnement auprès d'assistants plus anciens mais aussi de jeunes. Je ne suis ni psychologue ni prêtre ; j'ai une certaine expérience de la vie et des personnes. J'ai une certaine connaissance de l'humain et des voies de la vie spirituelle. Mon rôle d'accompagnateur est d'écouter ces assistants, chacun environ une heure par mois, pour chercher avec eux la cause de leurs difficultés humaines et communautaires, pour comprendre leur signification. Il s'agit de les rejoindre là où ils sont et non de les juger à partir d'un idéal ou de ce que je pense qu'ils devraient être. Il s'agit de les aider à vivre une cohérence entre ce qu'ils disent et vivent, à être dans la réalité de leur humanité, à saisir et à accepter leurs dons et capacités mais aussi leurs limites ou leurs blessures, et surtout à croître dans leur humanité, leur vie spirituelle et dans leur capacité de cheminer vers une plus grande maturité en recherchant la nourriture spirituelle et intellectuelle, le soutien et le repos dont ils ont besoin. Durant ces moments de communion importants et nourrissants pour les deux, j'apprends beaucoup sur ce qu'est l'être humain et les étapes de la croissance humaine. Je suis émerveillé de l'ouverture et la franchise de la plupart de ces assistants. Parfois, c'est ce que je dis qui les aide, mais c'est surtout mon écoute qui les amène à verbaliser leurs difficultés et leurs besoins. Je reconnais aussi qu'un certain nombre d'entre eux ont du mal à saisir et à parler de leur propre réalité ; ils semblent en avoir un peu peur ; il y a des barrières trop fortes autour de leur cœur et de leur esprit. Ils n'arrivent pas à bien exprimer leurs difficultés, leurs peurs profondes. L'accompagnement, d'habitude, est quelque chose de très doux : à travers la communion qui s'établit entre nous à partir de ces rencontres durant des années, la confiance mutuelle, le désir de vérité sur soi et le sens des situations ne cessent de grandir. Je découvre combien l'accompagnement est essentiel à la croissance humaine.

Le premier principe que j'ai découvert dans l'accompagnement est d'aider l'autre à vivre dans la réalité et non dans les rêves, des théories et des illusions. À accepter sa propre réalité, ses handicaps intérieurs, ses blessures et ses ténèbres, pour ne pas vivre constamment dans la frustration et le stress. Il n'a pas besoin d'être parfait. Certes, on a besoin d'espérance, d'une vision d'avenir, mais cela est très différent des rêves illusoires. Ceux-ci n'ont pas de fondement dans la réalité ; ils sont le fruit de l'imaginaire, coupé du réel.

Je me rappelle un assistant qui est venu me voir presque en larmes ; la veille, il avait été provoqué par une personne avec un handicap. Une énorme violence est alors montée en lui. « J'aurais pu le tuer ! » J'ai pu lui dire que, moi aussi, j'avais vécu cela et que ce fut un tournant dans ma vie. J'ai vu tout le mal potentiel qui était en moi. C'était un moment de conversion. Il y a des choses en soi qu'on ne peut pas tout de suite changer ; il faut du temps. Il faut négocier avec son corps, son système de défense et ses angoisses.

De ce point de vue, Aristote m'a beaucoup aidé. Il

était un passionné du réel et de l'humain. Il voulait la vérité. Il conduit vers l'accueil du réel. J'ai parfois de la difficulté avec des aristotéliciens qui sont enfermés dans le maître et dans ses idées, au lieu d'être, comme lui, des passionnés du réel !

Mais parfois, l'autre ne veut pas entendre la vérité ni regarder la réalité et l'accueillir ; elles gênent ; elles révèlent ses propres défaillances qu'il n'est pas prêt à accepter. Il faut alors attendre le bon moment.

Dans cette réalité et dans ces difficultés il y a des choses qu'on peut changer et des choses qu'on ne peut pas changer. Il est important de distinguer entre les deux. Je vois parfois des personnes se battre en vain contre ce qu'elles ne peuvent changer. Mais elles ne voient pas la petite chose, dans leur vie ou dans la situation, qu'elles peuvent changer : le possible. Peut-être trop de gens aujourd'hui sont-ils comme hypnotisés par l'impossible de la situation mondiale, ce qui les empêche de voir le « possible » où elles peuvent agir.

J'ai progressivement découvert, principalement à la lumière de mon expérience à l'Arche, quatre principes nécessaires à la croissance humaine, nécessaires aussi pour un bon accompagnement :

— *Le principe de réalité* : accueillir ce qui est, trouver les moyens de dépasser les colères, les révoltes en regardant le positif. Ne pas s'attacher à des idées préconçues et surtout à des préjugés et à des théories. Voir en soi-même le système de défense qui empêche de regarder la réalité, qui incite à la nier. Aimer et vivre l'instant présent dans la réalité qui est donnée.

— *Le principe de croissance* : la vie est en mouvement, en évolution. Il y a des choses que nous ne pouvons faire aujourd'hui à cause de nos limites, de notre jeunesse, de nos peurs. Mais demain avec le temps, il y aura de nouvelles forces qui monteront en nous. Nous sommes en train de changer ; d'autres personnes aussi peuvent changer. Savoir attendre avec patience. Savoir aimer le temps, devenir l'ami du temps.

— Enfin, le *principe de nutrition* et le *principe de finalité*. Je le disais plus haut, le terme de toute croissance humaine est la communion, l'ouverture aux autres, à Dieu, au monde. Découvrir notre humanité commune ; œuvrer pour un monde où il y a davantage de communion et de compassion entre les êtres humains. Mais il faut prendre les moyens pour atteindre leur but ; il faut faire les bons choix. Les sportifs et artistes savent qu'il leur faut une vie disciplinée pour atteindre leur but.

Une des difficultés les plus grandes pour certains assistants est en même temps de vouloir et de ne pas vouloir être à l'Arche. Ils ne sont pas toujours clairs dans leur choix de vie, leur vocation et le sens qu'ils veulent donner à leur vie. Quand on n'est pas sûr du but, on aura toujours du mal à accepter les moyens et à faire le deuil de certaines choses. Si on a un but clairement défini, on accepte plus facilement la discipline de vie, le repos, la nourriture spirituelle, les amis dont on a besoin.

La crise

Pour la plupart d'entre nous, la vie est faite de crises, de cassures, de séparations, d'événements inattendus heureux et malheureux comme les maladies et les accidents. La mort semble apparaître continuellement tout au long de la vie. En chinois, le mot crise veut dire danger mais aussi occasion. Il y a peut-être danger de mort mais aussi il y a occasion pour l'éclosion d'une nouvelle vie, d'une renaissance. En grec, il signifie la nécessité d'avancer, de faire un choix pour sortir d'une situation bloquée. Nombre de crises viennent de fatigues excessives et d'un manque d'harmonie entre communion, coopération et compétence. On a mis trop d'énergie dans l'un des trois, en oubliant ou en évitant à tout prix les autres ; et la nature crie son mécontentement. Un homme qui investit toutes ses forces dans le travail et qui oublie sa vie familiale, va vivre une crise quand sa femme se mettra en colère et menacera de le quitter s'il ne change pas. Il devra alors faire un choix, chercher de l'aide, car son travail est devenu une fuite en avant, une dépendance, un calmant à ses angoisses, une façon de remplir la vie. Il a besoin de retrouver la communion.

En 1976, je suis tombé malade et j'ai dû passer deux mois à l'hôpital. Mon corps criait car je l'avais maltraité ; je ne lui avais pas donné le repos et la nourriture dont il avait besoin. Cela m'a servi de leçon. Après la maladie, j'ai retrouvé un meilleur équilibre humain et un meilleur rythme de vie.

Il y a des accidents, des maladies, une dépression, parfois des échecs graves, qui obligent la personne à retrouver d'autres ressources en elle qui demeuraient cachées, en sommeil. Il y a aussi des crises qui proviennent d'une culpabilité ou d'un malaise croissant dans le cœur ou dans la conscience d'une personne. Elle ne peut plus supporter d'avoir caché un avortement ou une relation sexuelle hors mariage, d'avoir menti ou d'être empêtrée dans une affaire de corruption. La culpabilité est comme un cancer qui ronge l'intérieur de la personne, qui paralyse la joie et la transparence, qui empêche la communion et parfois la coopération, jusqu'au jour où il y a une explosion, le malaise devient trop grand ; il devient un cri pour retrouver la communion, la transparence, la vérité sur soi. Il y a d'ailleurs, dans ce domaine, une loi curieuse. La personne est comme poussée à faire de plus en plus de « bêtises » pour qu'un jour la vérité éclate, et qu'il y ait une libération par rapport à la culpabilité dissimulée. Dans le domaine du mal, de la corruption et du mensonge, il n'y a pas, semble-t-il, de demi-mesure ; il faut toujours aller plus loin. Il y a aussi toutes ces personnes qui semblent louper un passage dans leur vie. L'adolescent qui a peur de quitter ses parents et désire demeurer un enfant ; l'adulte qui a peur de l'engagement, de la fécondité, et qui veut demeurer un adolescent en recherche, sans responsabilités. Le vieillard qui refuse son âge et les deuils. Ces personnes n'ont pas pu faire les bons choix aux bons moments, soit à cause d'un manque de préparation humaine et de soutien, soit à cause de peurs. Quand le passage n'a pas été fait, à un moment la nature crie, l'angoisse devient trop grande. Il y a ceux qui n'ont pas pu regarder leurs peurs, peur de l'échec, peur de la mort, peur de l'abandon. Ils ont passé leur temps à fuir leurs peurs. Puis, un jour, leurs peurs les possèdent. Il faut chercher de l'aide.

Je suis frappé par le nombre de personnes qui sont obligées de descendre dans les abîmes du désespoir et de l'isolement avant de remonter vers la vie. Le seul langage qu'elles semblent capables d'entendre c'est un langage violent de maladie et de mort. Elles refusent d'écouter le conseil amical. Tant qu'elles n'ont pas touché le fond de l'abîme, elles refusent de l'aide ; car elles estiment qu'elles n'en ont pas besoin. Elles croient qu'elles peuvent s'en sortir toutes seules. Elles vivent alors dans l'illusion ; elles nient le réel. C'était peut-être mon cas avant d'aller à l'hôpital. On va chez le médecin souvent trop tard. N'est-ce pas aussi la situation des personnes qui touchent trop à l'alcool ou à la drogue ? Ils nient la gravité de leur situation.

Un homme en prison m'a écrit une lettre émouvante. Il avait exercé une profession libérale avec succès ; il était marié et avait des enfants ; il vivait bien, mais, semble-t-il, replié sur lui-même et son succès. Il m'a écrit : « J'ai fait une grosse bêtise. » Il ne m'a pas dévoilé laquelle. Il a été mis en prison. Puis il a dit : « J'ai été mis dans une cellule d'isolement. J'ai touché le fond du désespoir. J'avais tout perdu. Je voulais mourir. Et puis soudainement il y a eu comme une petite étoile de lumière qui est entrée dans mon cœur. Je l'ai gardée et regardée. Elle a grandi. » À partir de cette expérience qui l'a bouleversé, cet homme a vécu une renaissance. Peu à peu, il a été transformé par une foi spirituelle et le désir de s'ouvrir à d'autres et d'œuvrer pour eux. Il lui a fallu toucher le fond de son être et de sa pauvreté pour trouver l'aide d'autrui et aussi une force nouvelle lui permettant de dépasser ses égoïsmes, ses contradictions internes, ses culpabilités conscientes et inconscientes et s'orienter vers la communion et la coopération.

Oui, la crise est un danger et une occasion de renouveau, de retrouver un nouvel équilibre et une nouvelle liberté intérieure. Elle révèle un manque d'harmonie et de transparence. C'est le moment de chercher l'aide d'un prêtre, d'un guide spirituel, d'un accompagnateur, d'un ami, d'un thérapeute ou autre qui aidera à prendre les bonnes décisions, et à mieux regarder et accueillir la réalité pour avancer dans la vie.

Ce qui m'impressionne, c'est que malgré toutes les faussetés de la vie, les passages ratés, les irresponsabilités et les manques d'équilibre, les êtres humains trouvent souvent la paix au moment de la mort. De la communion et la paix au début de la vie, ces personnes retrouvent la communion et la paix à la fin de la vie. Entre les deux, il y a eu des brisures et des souffrances. Au moment de la mort de Jésus, il y avait près de lui, crucifié comme lui, un condamné à mort, un criminel. Il a parlé avec sympathie à Jésus lui disant : « Souviens-toi de moi quand tu entreras dans ton royaume. » Et Jésus lui a répondu : « En vérité, ce jour même tu seras avec moi au paradis. »

Une maman m'a raconté l'histoire de son petit enfant qui est mort à cinq ans. À trois ans, il a eu une maladie qui a provoqué la paralysie de ses jambes. La paralysie est monté à travers le corps. A cinq ans, il était couché, aveugle et totalement paralysé. Sa mère pleurait auprès de lui. Il lui a dit : « Ne pleure pas, maman, j'ai encore un cœur pour aimer ma maman. » Ce petit, malgré son jeune âge, est mort avec maturité. Un autre signe de la maturité humaine est de pouvoir se réjouir de ce qu'on a, au lieu de se lamenter de ce qu'on n'a pas. Un des signes de l'immaturité est de se lamenter de ce qu'on n'a pas et de ne pas rendre grâce pour ce qu'on a. Beaucoup de personnes meurent dans cette acceptation et cette paix. N'est-ce pas l'essentiel ? La vie humaine existe sur cette planète depuis des millions d'années ; il y a eu (et il y aura encore) des millions et des millions d'humains. Chacun a sa place. L'essentiel se passe surtout aux derniers moments, quand on accepte humblement la réalité de la vie à travers la mort, où on fait confiance à la communion. Les actions éclatantes, fruits souvent de l'élitisme et de l'orgueil, et parfois de la corruption, passent comme le vent. Les gestes d'amour qui donnent vie et qui sont dans la vérité de nos êtres demeurent dans ce « oui » final à la mort, qui est aussi un « oui » à la vie, un « oui » plein de maturité et de reconnaissance.

Les tailles

Dans le chapitre sur les étapes de la vie, nous avons parlé des deuils et des brisures de la vie, des projets cassés, du travail perdu, des séparations douloureuses. Ce sont des tailles parfois douloureuses ; le cœur saigne. On a l'impression de toucher un vide à l'intérieur de soi, un sentiment de mort. Certaines personnes vivent des souffrances inexplicables. On ne peut les comprendre : les victimes de l'holocauste, les massacres de Bosnie et du Rwanda, les enfants abusés sexuellement. Et la souffrance même de la haine, comme cet homme condamné à mort dans une prison à Montréal pour avoir tué sept personnes. Je le voyais derrière les barreaux, son corps immobile, ses yeux froids, les vibrations qui sortaient de lui me glaçaient et me paralysaient. Et pourtant, en même temps, en le regardant je pouvais deviner sa vie. Probablement haï dès le sein de sa mère, abandonné, mis dans plusieurs institutions, on l'avait agressé et on lui avait appris à agresser d'autres pour vivre et survivre. Il a dû bâtir de nombreux murs autour de son cœur et de ses émotions pour se défendre. Comment peut-il vivre de confiance si personne n'a eu confiance en lui ? Son cœur était caché loin, derrière toutes les ruines et barrières de sa vie. Quelles souffrances épouvantables imposées sur lui. Quelles souffrances épouvantables il a imposées à d'autres.

Je suis émerveillé de certains hommes et femmes brisés par la maladie ou le handicap mais qui ont assumé et accueilli progressivement ce handicap ou cette maladie, parfois très lourds. J'ai été invité, il y a quelques années à Montréal, à rencontrer des hommes et des femmes ayant un handicap physique. On m'avait demandé de leur parler, mais devant eux je ne pouvais rien dire. Je leur ai demandé plutôt de me parler. Chacun a exprimé alors son amertume : « J'ai eu la polio quand j'avais dix-sept ans. Au début, mes amis à l'école m'ont beaucoup entouré, puis ils ont quitté l'école. Peu à peu, on ne me rendit plus visite. Maintenant je n'ai pas d'amis. Je me sens rejeté par cette société si dure. » L'un après l'autre, ils exprimaient ainsi leurs souffrances et leur colère par rapport à la société. Puis une femme atteinte de la polio a parlé : « Comment pouvons-nous attendre que les gens de cette société nous acceptent si nous, nous ne les acceptons pas dans leur non-acceptation envers nous ? » La souffrance l'avait amenée à une sagesse si belle, c'était comme si elle avait été taillée. Elle portait des fruits d'accueil et d'acceptation de soi et d'amour qui rayonnaient d'elle. D'autres, cependant, n'arrivent pas à cette sagesse. Ils peuvent même s'enfermer dans la colère, la révolte et dans un état de victime. Est-ce parce que personne ne leur a jamais révélé leur valeur ; personne ne les a jamais accepté avec *leur* handicap ?

Une jeune femme de dix-sept ans m'a écrit une longue lettre où elle me parlait de sa vie en famille. Elle a beaucoup souffert car elle avait l'impression que ses parents n'avaient jamais voulu d'elle. C'est comme si elle était une erreur. Ses parents parlaient souvent en bien de ses frères et sœurs aînés, mais jamais d'elle. Puis elle est allée à l'école, mais elle n'avait pas d'amis. « C'est comme si aucun homme ne pourrait me choisir. » Elle était une jeune femme souffrante d'un manque d'affection, proche de la dépression. Puis elle a continué. Un jour elle marchait dans une forêt. Elle s'est assise sous un arbre. Et « soudainement, me disait-elle, « j'étais envahie du sentiment d'être aimée de Dieu ». Une expérience qui lui a permis de s'accepter elle-même. Si elle était aimée de Dieu, elle pouvait s'aimer elle-même. En s'aimant elle-même, elle pourrait peut-être laisser les autres l'aimer.

Tant de souffrances proviennent de la déception. On attendait quelque chose qui, croyait-on, apporterait un certain bonheur, et on ne l'a pas reçu. On ne voit que ce qu'on a reçu de négatif : une maladie, un enfant avec un handicap. C'est alors la colère et la révolte. La sagesse humaine, c'est le retour à la terre. Ne pas s'enfermer dans un idéal qu'il faut atteindre mais accueillir le réel tel qu'il est. Découvrir la sagesse et la présence de Dieu dans ce réel. Ne pas combattre le réel mais négocier avec lui. Découvrir la semence de vie, les possibilités cachées en lui. Il faut, certes, avoir une vision de l'avenir et s'orienter vers lui, il faut programmer, être vigilant, être responsable pour l'avenir, mais il faut que cette espérance ou cette orientation s'enracine dans l'accueil du présent. C'est la sagesse bouddhiste, mais aussi la sagesse chrétienne. Découvrir le message de Dieu dans l'instant présent, être ami du temps et de la réalité.

La vie n'est pas dans les souvenirs et la nostalgie du passé ; elle n'est pas dans les rêves illusoires de l'avenir coupés du réel. Elle est là, maintenant dans l'accueil du réel, dans la communion avec la terre, l'univers, les personnes, soi-même, et elle jaillit de ce réel.

Quand j'étais au Bangladesh, j'ai reçu une belle leçon. Après une conférence donnée à un groupe de parents, d'amis et d'éducateurs de personnes avec un handicap mental, un homme s'est levé. « Mon nom est Dominique. J'ai un enfant, Vincent, qui a un handicap lourd. C'était un bel enfant à la naissance, mais, à six mois, il a eu une grosse fièvre qui a provoqué des convulsions. Son cerveau et son système nerveux ont été atteints. Aujourd'hui, à seize ans, il a un handicap mental très lourd. Il ne peut ni parler, ni marcher, ni manger seul. Il est totalement dépendant. Il ne peut communiquer que par le toucher. Ma femme et moi avons beaucoup souffert. Nous avons prié Dieu pour qu'il guérisse notre Vincent. Et Dieu a exaucé notre prière, mais non pas de la façon dont nous l'attendions. Il n'a pas guéri Vincent, mais il a changé nos cœurs ; il a donné à ma femme et moi la joie et la paix d'avoir un fils comme lui. »

Devenir soi-même

Quels que soient le chemin de sa vie, les crises et les tailles, ce qui est important c'est que chacun devienne lui-même. Qu'il ne soit pas paralysé par la peur des autres ou de ce qu'on pense de lui, ou par ses besoins psychologiques de tendresse et de pouvoir.

Il n'y a pas longtemps, un assistant de dix-neuf ans d'une communauté de l'Arche est venu me voir. Je lui ai demandé : « Comment vas-tu dans la communauté ? — Ça va, mais c'est dur », m'a-t-il répondu. « Parle-moi du bon », lui ai-je dit. « Je deviens moi-même. » N'est-ce pas le but de la vie à travers toutes les étapes de la croissance, devenir soi, laisser émerger de derrière les barrières, le « je » profond ? Ne pas devenir ce que les autres veulent qu'on soit, ne pas crier pour obtenir leur attention à tout prix. Ne pas devenir un autre ou refuser d'être, mais devenir soi, à partir de ce qu'on est, à partir de la semence de vie en soi, à partir de son histoire et de sa terre.

Cette émergence du « je », ce refus du compromis avec un monde qui écrase les faibles et la conscience personnelle ; ce refus de compromis avec le mal et avec toutes les forces de mensonge et d'oppression, s'avère surtout difficile dans la vie publique mais

191

aussi à l'école. Ponce Pilate savait que Jésus était innocent, mais il n'a pas osé le libérer de peur d'une révolution, d'encourir la colère de l'Empereur et de perdre sa place, les honneurs et les privilèges qui le faisaient vivre. Quand des juges vendent leur conscience et leur âme au pouvoir politique, aux tyrans, pour conserver les faveurs du tyran, c'est leur « je » profond qui non seulement n'émerge pas mais se dissout un peu plus dans la peur. Quand on commet une injustice par peur de perdre sa place et son honneur, quand on dit un mensonge par peur du conflit ou du rejet, quand on accepte des dessous-de-table et de gros pourboires, c'est le « je » qui s'enfonce encore plus dans les ténèbres de l'être.

La pression de l'entourage est parfois forte pour inciter les jeunes à prendre de la drogue, ou à se laisser aller au fil du courant. On se moque de ceux qui résistent. Il faut être fort pour dire « non ». C'est alors que le « je » profond émerge. De même, ce n'est pas facile de prendre position pour la justice et la vérité dans son travail ou dans certains régimes tyranniques. Mais le « je » émerge quand on dit la vérité, quand on dénonce l'injustice avec le risque de perdre sa place. Le « je » n'émerge pas réellement quand on dit une vérité et qu'on dénonce une injustice pour avoir l'honneur et la reconnaissance.

La guérison profonde de l'être humain se réalise chaque fois qu'il choisit la vérité et la justice et qu'il suit sa conscience profonde, même au prix d'un conflit, même au risque de perdre quelque chose et de se retrouver seul.

L'émergence du « je » profond ne donne pas une liberté de force et de pouvoir. Cette liberté n'est pas celle de la puissance pour juger, condamner les autres, se croire meilleur. Ce n'est pas la liberté de l'indépendance qui donne la capacité de faire tout ce qu'on veut ; ce n'est pas la liberté d'un sauveur, ni même d'un prophète. C'est une liberté de vulnérabilité, de capacité de pâtir, d'écouter pour comprendre la souffrance des autres. C'est la liberté de prendre sa place et non celle d'un autre dans la société, l'univers, pour vivre la communion et la compassion ; et communiquer la confiance, la liberté aux autres. C'est la liberté de se soumettre à une vérité et à une justice qui dépassent sa propre personne, son groupe, et qui permet de rejoindre les valeurs universelles.

L'émergence du « je » se fait dans l'humilité : peu à peu, à travers toutes sortes d'échecs, même à travers des erreurs. C'est une croissance lente et belle à travers toutes les étapes de la vie. Sur cette route, on est appelé à être patient, à trouver le rythme de sa propre croissance, ayant confiance dans le temps et en laissant les événements de la vie, la maladie, les crises, les lectures, les rencontres, les séparations, les deuils, faire doucement leur œuvre. Quand il y a de la bonne volonté et de la vigilance pour être dans la vérité, alors tout concourt pour le bien de la personne et pour sa croissance vers la maturité humaine et spirituelle.

La croissance humaine vers une identité plus profonde et une ouverture plus grande correspond alors à cette émergence du « je » profond. Elle n'est pas quelque chose de grand et de fort. Elle n'est peut-être pas très visible. Elle n'est pas entourée d'honneurs ou de prix. Elle est quelque chose d'intérieur. Elle est de l'ordre de l'amour et de la fidélité dans l'amour. Elle est de l'ordre de la confiance et de la communion qui sont don à un autre et accueil d'un autre. Cette croissance dans la communion se réalise surtout chez les petits et les humbles (les grands à la fin de leur vie deviennent aussi des petits et des faibles). La croissance humaine implique certes des acquisitions ; mais elle se réalise surtout dans le don, elle est une école du don. On apprend à se donner, à donner son cœur. Et le don final, où tout s'achève, est ce don du cœur qui accueille le Dieu des dons, accueillant dans ses bras la personne enfin redevenue un petit enfant.

Vivre dans notre culture moderne

Nous sommes passés d'un monde régi par une moralité familiale et religieuse à un monde régi par le succès individuel et l'épanouissement personnel ; d'un sens parfois trop extérieur de service aux autres, à la patrie, à Dieu, à une recherche éperdue du bien-être pour soi ; de la primauté de la morale à la primauté de la psychologie et de l'économie. D'une morale fermée et souvent rigide sur le plan des mœurs, nous sommes passés à une liberté totale — où tout est permis, où tout est offert en pâture. Une société dite de communication qui est en fait une société de connexion et de stimulation et non une société de relation. La télévision, malgré quelques excellentes émissions, amène une confusion réelle des valeurs : qu'est-ce qui est bien, qu'est-ce qui est mal ? Tout est possible. Un grand professeur de médecine a affirmé dans les journaux que, dans son service, il tuait des enfants nés prématurés avec un handicap. Par lettre, j'ai protesté au nom de la vie : « Vous, vous avez des certitudes, m'a-t-il répondu. Moi, je cherche encore. Je n'ose pas dire que j'ai la vérité. Vous, vous dites que vous l'avez. » Presque la même remarque m'a été faite par un écrivain français qui prônait la pilule pour sa fille trisomique 21 pour qu'elle puisse vivre des expériences sexuelles. Sous-entendu dans les deux situations : « Vous avez vos certitudes, vous êtes fasciste. Vous cherchez à imposer une loi sur tous. » La morale, n'est-elle pas d'abord et avant tout la défense des droits de la personne et surtout des plus faibles de la société, droit à la vie, à un chez-soi, à l'éducation, aux soins, à être aimé ?

Si on nie toute morale, c'est la fin de toute vraie éducation, de tout respect pour chaque personne telle qu'elle est. C'est la porte ouverte à toutes les injustices. Le monde n'est plus alors qu'une jungle où chacun se défend et agresse comme il peut.

L'une des valeurs cependant de la société actuelle est de ramener tout à la personne individuelle : sa liberté, sa vie. La morale familiale et religieuse portait en elle des dangers et des failles. On peut se cacher derrière le devoir. On peut oublier qu'au-delà du devoir il y a appel à une vie pleine, une vie d'amour et de communion. Le devoir peut aller jusqu'à un mépris de soi et de sa valeur fondamentale. La situation actuelle tend à amener les êtres humains vers un état de pauvreté humaine, pauvreté culturelle, intellectuelle, pauvreté de foi. Beaucoup sont saturés par les images, ou par les informations. Tout reste à un niveau superficiel. La plupart des personnes n'ont ni le temps ni le goût d'approfondir les choses. Tant d'hommes et de femmes sont pris dans un mouvement pour survivre, pour se distraire, pour répondre à l'immédiat. Ils tendent à vouloir tout et tout de suite. Il leur faut des expériences fortes qui donnent vie, ou apparence de vie. Dans ces conditions, il est difficile de retrouver des repères vrais. Les soutiens qui existaient autrefois n'existent plus. Mais les conditions de vie sont tellement différentes, qu'il n'est pas possible de revenir en arrière. L'humanité continue sa marche à la fois belle et désastreuse. Et comme je crois que l'univers et que l'humanité sont bien faits, comme il y a toujours contenus en eux des éléments d'équilibre et de guérison, il y aura sans doute une autre voie qui se dessinera pour aider chacun à trouver son propre équilibre, sa propre paix intérieure. Cette nouvelle voie ramènera les êtres humains à la découverte de la communion plus profonde que toute expérience passagère : la communion qui est aussi permanence, alliance, fidélité : la communion qui est créativité et liberté ; la communion qui est lumière et vie. Et cette nouvelle voie sera, je l'espère, la découverte d'un Dieu caché non pas dans les Cieux et vers qui il faut tendre par l'ascèse et le devoir, mais un Dieu d'amour caché comme un petit enfant au cœur de la matière, au cœur de la souffrance humaine, au cœur de la vie quotidienne.

V

LE MILIEU HUMAIN

Il m'a fallu du temps pour découvrir ma propre terre où je pourrais croître dans l'amour, fortifier mon identité, vivre mes dons et ma fécondité, et m'ouvrir aux autres : en somme découvrir le rôle du milieu dans la croissance humaine.

Enfant, j'étais heureux dans ma famille ; mes souvenirs d'enfance sont de bons souvenirs. Bien sûr il y avait les bagarres entre les cinq enfants, mais aussi une amitié profonde. Nous étions sécurisés par nos parents ; entre eux je ne me souviens d'aucun conflit.

En 1942, en pleine guerre, j'ai quitté la famille et le Canada pour m'enrôler dans la marine anglaise. En effet, à cette époque on pouvait entrer à l'école navale, l'école de formation des futurs officiers, à l'âge de treize ans. Je suis sorti de cette école au début de 1946, pour prendre ma place sur des navires de guerre. La marine anglaise, comme la marine française et canadienne, est une institution forte où il y a un grand sens d'appartenance. On était fier d'être marin ; on aimait ce métier et cette vie à bord des navires. Les officiers étaient liés par une amitié et une fraternité réelles. L'uniforme, les symboles, les traditions créaient un esprit de corps solide. La vie personnelle était réduite cependant à un minimum. Le milieu fortifiait chez nous tous un esprit de courage, de travail bien fait, de loyauté, d'honnêteté et de coopération.

En quittant la marine en 1950 pour suivre Jésus, j'ai découvert le monde de la vie spirituelle et j'ai reçu une formation philosophique et théologique. Je vivais alors dans la communauté fondée par le Père Thomas Philippe, près de Paris, plus comme un solitaire que comme membre d'une communauté. J'étais heureux dans cette découverte d'une vie de prière et d'une vie intellectuelle menées avec une certaine austérité. Je me cachais derrière une certaine force personnelle formée à travers la vie militaire. Je tendais à fuir les relations pour me consacrer uniquement à la vie de l'esprit.

C'est seulement en 1964, avec la fondation de l'Arche, que j'ai découvert la communauté et la vie communautaire. Au début, comme fondateur et comme responsable, je la vivais un peu de l'extérieur. Avec les années, j'ai commencé à en découvrir le sens profond, je dirais, sa nécessité pour la croissance humaine.

L'Arche est une communauté différente des communautés religieuses. Nous ne sommes pas non plus une institution professionnelle fondée sur la compétence ; nous ressemblons plus à une grande famille, fondée sur un esprit commun. Nous sommes liés ensemble dans une réelle fraternité.

Il était évident pour moi que le besoin fondamental de Raphaël et de Philippe n'était pas d'abord de vivre indépendamment, avec une autonomie complète — cela leur était impossible à cause de leur handicap — mais de participer à une vie de famille nouvelle, une vie communautaire où ils pouvaient développer au maximum leur potentiel humain et spirituel, dans un esprit de liberté et d'ouverture. Ils avaient besoin de personnes qui s'engageaient envers eux et entre elles pour toute leur vie, dans un esprit non de gain financier mais de gratuité et d'amour. En vivant ainsi, j'ai découvert que cela correspondait aussi à un besoin profondément humain encore caché en moi.

Durant les premières années de l'Arche, j'ai visité dans plusieurs pays des institutions qui s'occupaient des personnes avec un handicap mental. J'avais besoin de connaître ce qui se passait ailleurs. Dans les pays scandinaves j'ai rencontré des hommes et des femmes avec un handicap mental vivant dans leurs chambres ou appartements individuels, avec leur propre télévision et leurs bouteilles de bière ! Cela m'a été présenté comme le sommet de la normalisation et de l'intégration. Certes, ils étaient mieux que dans de grandes institutions ou hôpitaux psychiatriques que j'avais visités en France, et pourtant ils avaient l'air tristes et fermés sur eux-mêmes.

Quand l'être humain est seul, il se cache et se ferme derrière des murs psychologiques, il ne communique plus ; la vie en lui ne circule plus. On a tous besoin d'amis. Ceux-ci sont comme une sécurité ; on se soutient mutuellement. Avec eux on peut échanger, risquer de vivre.

On me dit qu'à Paris quarante pour cent de la population vivent seuls. Toutes ces personnes sont alors obligées de se protéger. Elles doivent se défendre contre toutes les forces hostiles qui existent dans une société. Une sociologue américaine avait inventé l'expression *cocooning* en 1980 pour décrire ce besoin de protection. Aujourd'hui, elle assiste à une nouvelle escalade de la peur. Il ne s'agit plus de se protéger mais de résister à l'agression. Elle pense que les habitants des villes vont se terrer chez eux. Les personnes doivent, en effet, développer leur agressivité dans le travail qui est souvent vécu sur le mode compétitif. Il faut se montrer capable et compétent — et plus que d'autres — pour avoir de l'avancement et un salaire plus important. Fatiguées par des luttes, par le métro et le train, elles ont peu de forces à mettre dans la vie relationnelle et la communauté humaine. Elles cherchent à se distraire en regardant la télévision, cette formule ultime de solitude, ce qui accentue leur vie solitaire, leur difficulté à communiquer et certainement leur difficulté à croître vers l'ouverture aux autres.

Progressivement, en vivant à l'Arche, j'ai découvert la communauté humaine et la famille comme l'intermédiaire essentiel entre l'individu et la société, comme le lieu où chacun peut devenir ce qu'il est, en faisant tomber les barrières qui protègent sa vulnérabilité pour s'ouvrir aux autres et en particulier aux personnes différentes. Elles sont la terre dont chacun a besoin pour vivre et croître humainement.

Personne et société

La société moderne est une organisation très complexe. Pour s'y insérer d'une façon active il faut une formation et une compétence. Celles-ci vont permettre d'avoir un travail et un salaire. Ainsi on va avoir une vie personnelle et familiale, des loisirs, des amitiés. La vie en société, nous l'avons dit, est régie le plus souvent selon le mode compétitif : les forts et les compétents gagnent et sont au sommet de la hiérarchie sociale. Les faibles perdent et ont besoin d'aide ; ils sont en bas de la hiérarchie sociale. Chacun cherche plus ou moins à monter l'échelle de la promotion humaine pour avoir plus de privilèges et d'argent ; ceux qui ne peuvent monter tendent à se fermer dans le découragement.

Les communautés naturelles, les communautés humaines, la famille, ont été affaiblies dans nos sociétés riches et modernes. L'influence des médias qui mettent en scène des expériences nouvelles et fortes, la compétitivité ; les besoins individualistes de succès et de gain d'argent, la philosophie de la liberté personnelle et la perte des valeurs morales et religieuses ont contribué à cet affaiblissement.

Dans son livre *Les Exclus*, René Lenoir parle de jeunes enfants indiens au Canada, des autochtones. Il raconte comment un groupe de vingt enfants à qui on a promis un prix pour celui qui répondra le premier à la question : « Quelle est la capitale de la France ? », se mettent ensemble pour échanger leurs idées et puis crient ensemble la réponse « Paris ». Pourquoi cela ? Ils savent qu'il y a seulement une chance sur vingt de gagner, mais plus encore, ils savent que celui qui gagne le prix, perd la communauté, perd la solidarité ; il devient supérieur ; il quitte le groupe.

Dans nos pays plus riches, beaucoup ont gagné des prix mais ils ont perdu la communauté et la solidarité. Dans les pays plus pauvres, ils n'ont pas gagné de prix mais ils ont souvent gardé le sens de la solidarité.

La vie personnelle dans la société se réalise avec des amis. Avec eux on peut se détendre, laisser tomber ses masques, être soi-même. On peut faire ce qu'on veut ; on n'est pas astreint à une discipline. Mais l'amitié implique aussi un engagement. Certes, elle peut demeurer au stade superficiel, sans responsabilité mutuelle ; quand l'autre n'intéresse ou n'apporte plus, on va ailleurs ; on le laisse tomber. En revanche, un vrai ami se sent responsable de son ami, dans les beaux jours comme dans les mauvais, dans le succès comme dans l'échec, la détresse et l'humiliation. Il y a alors engagement. C'est le début de la vie en commun. L'amitié sans engagement n'est pas vraiment l'amitié.

Chaque être humain a besoin d'amis. Raphaël et Philippe comme nous tous avaient besoin de vrais amis qui demeurent avec eux, même avec leur handicap, et s'engagent avec eux vers l'avenir. La famille et la communauté humaines sont les lieux privilégiés où on s'engage ensemble pour vivre, partager personnellement et se soutenir mutuellement. Elles sont les lieux de la rencontre personnelle du cœur et de l'amour où on devient vulnérable par rapport à d'autres et où on partage les valeurs et l'expérience de la vie. Il y a des écoles et des institutions qui forment la tête ; la communauté et la famille sont des écoles du cœur, de l'amour et de la fidélité aux personnes ; des écoles qui ouvrent chacun aux autres, aux différents, au pardon et à l'amour universel.

Je suis particulièrement sensible aujourd'hui aux souffrances de ces hommes, de ces femmes dont le mariage s'est brisé, entraînant une brisure de leurs cœurs. Ils risquent de perdre confiance en eux-mêmes, en leurs capacités de vivre une relation. Parfois, trop rapidement, ils se jettent dans une autre relation car ils se sentent incapables de vivre seuls. Ces personnes ont besoin d'amis et quelquefois d'un bon accompagnateur, qui marchent avec elles pour les aider à relire leur histoire, à retrouver confiance en elles-mêmes. Ainsi, progressivement, leurs blessures se cicatrisent, elles retrouvent la possibilité de vivre des relations positives et aimantes, source de vie pour elles, pour d'autres.

Le danger : les amis, la famille et la communauté qui se ferment sur eux-mêmes

Les amis peuvent se fermer sur eux-mêmes. Ils se flattent, se protègent mutuellement. Ils peuvent cultiver entre eux un sens de supériorité, un certain dédain des autres. Mais l'amitié peut être aussi le lieu où on s'encourage à s'ouvrir aux autres, à risquer l'amour et la lutte pour la justice.

De la même façon, la famille peut ouvrir les cœurs les uns aux autres ; elle peut préparer les enfants à s'engager dans la société et à vivre les vertus sociales ; ou elle peut devenir le lieu de la fermeture, où on se protège. Elle garde alors jalousement son patrimoine et ses terres. N'est-ce pas ainsi que dans certains pays d'Asie et d'Amérique latine, dix pour cent de la population possèdent soixante-quinze pour cent des terres ? Certes, dans ce cas la famille aisée peut faire du bien aux pauvres d'une façon paternaliste, en s'occupant d'eux quand ils sont malades ou dans un besoin pressant, mais elle ne fait rien pour partager ses terres et ses richesses, et pour changer une situation injuste. La famille ne forme pas toujours ses membres à l'exercice des vertus sociales et à s'ouvrir véritablement aux personnes défavorisées. On comprend la réaction venant de l'autre extrême, qui cherche à casser la famille.

De même, il y a des communautés fermées sur elles-mêmes, imbues de leur vérité, élitistes. L'extrême dans ce domaine est la secte. C'est important de distinguer une vraie communauté d'une secte, d'autant plus important pour nous, à l'Arche, que nous sommes assimilés parfois à une secte. Une secte est rigoureusement fermée ; les membres, souvent des personnes fragiles et insécurisées, vendent leur liberté et leur conscience personnelle pour une conscience collective, formée par un père, une mère, un gourou tout-puissant, souvent considéré comme l'envoyé de Dieu. Ils sont nourris par la peur et des préjugés pour éviter qu'ils prennent contact avec d'autres qui ne pensent pas comme eux. Pour ces membres, le monde est divisé entre les bons et les méchants, les sauvés ou les éclairés et les damnés. Entre ces deux catégories, il y a un vaste mur : aucun contact d'ouverture ou de rencontre n'est permis sauf pour faire des adeptes. Aucune autocritique n'est possible. Les personnes enfermées dans la secte ont eu l'expérience de leur propre fragilité et de leurs ténèbres ; elles ont besoin de retrouver l'ordre et elles veulent l'imposer à d'autres. Il y a ressemblance entre certaines formes de fascisme des régimes dictatoriaux et les sectes. Il faut empêcher à tout prix la liberté personnelle de s'exercer, celle-ci est nécessairement mauvaise et conduit à l'anarchie et au désordre.

Je dois avouer qu'aux débuts de l'Arche je ne faisais guère attention aux voisins et aux gens du village ; je vaquais à mes affaires ; j'avais mon projet avec l'accueil de Raphaël et Philippe. Nous étions fermés sur nous-mêmes. Peut-être qu'au moment de sa fondation, une communauté est obligée d'être fermée sur elle-même. La vie naissante, l'identité encore fragile, doivent être protégées. Mais j'ai appris, peu à peu, l'importance d'être ouvert aux voisins, de chercher le dialogue avec eux, de ne pas nous fermer sur nous-mêmes.

La vraie communauté, à la différence de la secte, est pour les personnes, pour leur croissance vers la maturité et la liberté intérieure, afin que chacun puisse assumer des responsabilités librement. Si l'autorité exercée dans une communauté est au début imposante et dominante, elle est appelée à devenir une autorité qui aide chacun à croître, à devenir lui-même. Une vraie communauté est ouverte pour donner la vie aux autres, aux visiteurs, aux voisins, aux amis, aux personnes différentes. Elle est appelée à s'insérer dans un quartier, une commune, une région.

Mais pour donner la vie aux autres, la communauté elle-même doit être vivante.

À notre époque où les lieux d'appartenance habituels comme la famille, le village, la paroisse tendent à se fragmenter et même à disparaître pour une multiplicité de raisons, ou de plus en plus de personnes se sentent seules, ne faut-il pas encourager la création, l'approfondissement des lieux d'appartenance ? S'il n'y a plus cet intermédiaire entre la personne et la société, ces écoles du cœur, les personnes auront de plus en plus de difficulté à atteindre leur maturité humaine.

Le défi de l'Arche est d'être une institution qui veut être compétente, je dirais professionnelle, dans sa thérapie et dans sa façon d'aider les personnes avec un handicap à trouver un équilibre humain et à développer tout leur potentiel ; en même temps, elle veut être une communauté, c'est-à-dire un lieu où tous les membres — personnes avec un handicap et assistants — sont liés d'amitié et vivent entre eux la communion. Est-ce possible ? En général, une institution vit selon un mode hiérarchique : les responsables majeurs ont des salaires plus élevés, il y a des conventions collectives qui fixent les responsabilités, les privilèges et la hiérarchie des salaires. Et chacun est protégé par les lois du travail et les syndicats. Tout cela est bon et utile, mais ne favorise pas la vie communautaire comme telle, et surtout des liens permanents entre les personnes.

L'Arche, en annonçant une vision communautaire, est obligée de trouver une autre façon de régir les salaires. Chacun reçoit le même salaire, sauf les personnes mariées qui doivent louer ou construire leur lieu d'habitation. De même, les responsables sont nommés pour des périodes limitées, généralement quatre ans. Après quoi, ils peuvent être appelés à travailler plus près des personnes avec un handicap. Il y a une logique dans tout cela, une logique acceptée librement par tous. Selon la vision de l'Arche, il est plus humain d'œuvrer près des personnes faibles et de vivre la communion avec elles que d'œuvrer dans les structures avec des responsabilités plus larges et des salaires plus importants. Chacun est appelé à rendre service dans le corps communautaire selon ses dons et ses possibilités. Chacun choisit librement la communauté avec tous les avantages et les deuils que cela implique, plutôt que de vivre dans une institution hiérarchisée avec ses avantages et ses inconvénients.

Est-ce que l'Arche peut être un modèle dans ce domaine ? Est-ce qu'on peut imaginer des entreprises régies davantage selon un modèle communautaire ? Faut-il toujours une hiérarchie de salaires qui sépare les cadres et les ouvriers, l'intellectuel et le manuel ? Est-il possible de créer un corps social ?

La communauté humaine : des rencontres interpersonnelles

Comme nous l'avons dit, la communion est le fondement de la psychologie humaine. Si souvent, cependant, pour des raisons qu'on a déjà données, la peur prend la place de la confiance. « L'enfer, c'est les autres », disait Sartre. L'autre risque de me manger, de me contrôler et de me posséder, il faut alors que moi, je m'engage dans une lutte subtile pour le manger, le contrôler et le posséder, ou bien je demeure caché, peureux, triste, sûr de ne pas être aimable ; je deviens une victime ; je me laisse manger. Cheminer vers l'ouverture, la communion et la confiance d'un côté ; ou vers la fermeture et la peur de l'autre. Une société vraiment humaine est appelée à favoriser chez les êtres humains l'ouverture. Une société ne peut être humaine si tout le monde a peur les uns des autres.

Quand je parle de la communauté dans ce livre, je parle de toute association humaine où il n'y a pas seulement un but à réaliser, comme dans une entreprise, dans l'armée ou dans une équipe sportive, mais aussi une recherche en vue de faire se rencontrer les membres à un niveau personnel, où le dialogue, le partage, la fraternité et un vrai souci pour les autres existent. Les membres ne sont pas là juste pour que le groupe soit fort, puissant et gagne du terrain dans nos sociétés compétitives ; ils sont là, confiant les uns dans les autres, aidant chacun à devenir plus pleinement lui-même.

Il est du devoir d'une société de favoriser de telles rencontres et associations comme de favoriser l'amitié et la fidélité dans la famille. Dans les pays de l'Est, en Europe, surtout dans l'ex-URSS, les citoyens ont beaucoup souffert d'un régime qui cherchait à tout prix à empêcher ces formes d'associations, à briser la confiance entre les personnes. Diviser pour mieux régner et contrôler. Dans ces pays, je vois combien il est difficile aux gens d'avoir confiance les uns dans les autres. Il leur faut du temps pour s'ouvrir aux autres après ces années de répression.

Mais ce n'est pas uniquement dans les pays de l'Est qu'il y a un manque de confiance entre les personnes. Combien vite, même dans nos communautés de l'Arche, on peut diviser les membres entre ceux en qui on a une confiance totale et ceux en qui on a moins de confiance. De même, on peut très vite favoriser les aspects de compétence, de pédagogie, d'efficacité au détriment de la rencontre réelle et amicale entre les personnes.

Il y a de multiples formes de communautés humaines, avec des formes d'engagement verbalisées ou non verbalisées différentes, qui se situent à des niveaux différents. L'essentiel, comme nous l'avons dit, est double : la rencontre des cœurs, un souci personnel pour chacun ; et le but autour duquel les personnes se retrouvent. Les hommes qui jouent à la pétanque, les instituteurs et institutrices d'une école, une équipe médicale, les personnes dans une entreprise, ceux qui se réunissent pour lutter contre la torture ou pour œuvrer pour la paix, pour une écologie saine et bien d'autres regroupements, peuvent devenir progressivement une forme de communauté où on favorise les rencontres personnelles et l'engagement mutuel. De la même façon, un groupe de prière, une association d'aide aux personnes sans domicile fixe, un groupe qui approfondit la Bible, qui se forme spirituellement, peuvent devenir peu à peu une communauté ou au contraire, ils peuvent s'en éloigner s'il n'y a que le souci du but du regroupement à réaliser.

Dans ces communautés de types différents, l'isolement des personnes est brisé ; il y a partage et fraternité. Les personnes n'ont plus besoin de prouver quoi que soit. Elles ont le droit d'être elles-mêmes, leur système de défense peut tomber. Elles peuvent s'ouvrir les unes aux autres, dans la communion. Elles sont liées entre elles.

Ces associations deviennent encore plus communautés quand elles ne se ferment pas sur elles-mêmes dans une attitude élitiste et supérieure, quand elles s'ouvrent aux autres sans exclure, quand elles prennent conscience de leur mission de donner la vie aux autres, et surtout aux personnes seules et en détresse, de collaborer avec d'autres communautés et regroupements humains pour le bien de tous dans la société.

Évidemment, les communautés comme l'Arche, où on vit ensemble sous le même toit, méritent d'une façon particulière ce nom de communauté. Mais elles sont une exception dans nos sociétés, une exception à laquelle quelques personnes sont appelées pour devenir témoins de l'amour caché dans le cœur des personnes faibles et donc de la valeur de chaque personne humaine. En effet, la vie communautaire constante peut être invivable pour certaines personnes qui n'ont pas alors suffisamment d'espace personnel. On peut faire partie d'une communauté sans vivre tout le temps ensemble.

Foi et Lumière a pour mission d'aider à la naissance et à l'approfondissement des communautés très légères, des communautés de soutien. Une trentaine de personnes, personnes avec un handicap, leurs parents et amis, se retrouvent une ou deux fois par mois et à d'autres moments pour des vacances. Ces communautés sont des lieux de communion, de partage, de célébration et de prière. Je peux témoigner du changement radical qu'elles ont apporté aux membres. Elles ont été des lieux de guérison intérieure et de croissance humaine.

La famille, première de toutes les communautés, est la plus répandue et la plus naturelle : l'homme et la femme dans leur engagement mutuel et leur engagement auprès des enfants. Là aussi se trouvent les deux éléments de toute communauté : la rencontre les cœurs, autour du but de la vie en commun. Si le couple se fonde uniquement sur un désir d'intimité pour briser l'isolement, et non sur un certain idéal de partage de vie et des valeurs communes, il sera en danger.

Le propre de la communauté quel que soit le type, c'est qu'elle devient progressivement un corps. Elle n'est plus une hiérarchie régie par la compétition où les forts sont en haut et les faibles et les inutiles en bas. Elle n'est plus l'amitié superficielle, sans responsabilité. Dans la communauté chacun a sa place, le faible comme le fort. Chacun a son don ; il n'y a pas un meilleur que l'autre. L'analogie du corps pour décrire la communauté utilisée par saint Paul est très bonne. Dans le corps humain, dit-il, il y a de multiples membres, chacun est différent, chacun est important, et « les parties les plus faibles, celles qu'on cache, sont nécessaires au corps et doivent être honorées ». Toutes les parties, chacune avec son identité, sont liées ensemble. Elles s'appartiennent mutuellement. Il y a responsabilité et engagement mutuels.

Les joies et les peines de la vie partagée

Il y a la joie de briser l'isolement, de ne plus avoir peur de ses propres faiblesses et pauvretés. L'amour, l'amitié et la fraternité sont parmi les plus grandes richesses humaines. Cette joie est surtout grande au moment de la fondation de la famille, au temps des noces ; réaliser qu'on est *choisi* par un autre, non pas pour ses capacités d'action mais dans son être profond, et choisi pour la vie ! Ici la joie de l'intimité, de l'extase, de l'amour, le besoin profond de sécurité, la réalisation de la fécondité et le besoin d'un statut social se retrouvent pleinement. Les noces sont le signe du bonheur humain.

En même temps, cette première communauté humaine, surtout à notre époque, est si fragile ! Le contexte social, le fait que souvent les deux époux travaillent avec beaucoup de fatigue et de stress, l'évolution humaine et psychologique de l'un et de l'autre, le manque de soutien pour le couple, rendent leur vie en commun parfois très difficile. Après un certain temps, les difficultés apparaissent ; l'autre n'est pas comme on le pensait.

De même pour la communauté : de l'extérieur une communauté peut avoir l'air si belle : il y a des partages profonds, une coopération et un soutien mutuels. Mais quand on est dedans, on voit vite tous les défauts des autres ! Au début, on les idéalise ; puis, quand on est proche on les plonge dans les abîmes ; on ne voit plus que le négatif. Il faut passer par ces étapes pour rejoindre enfin les personnes telles qu'elles sont, ni des anges ni des démons, mais des personnes humaines, belles mais blessées, un mélange de lumière et de ténèbres. Des personnes avec qui on est engagé pour croître humainement et devenir ce que nous sommes.

Je crois qu'il y a toujours un certain danger dans les relations humaines à picorer ici et là. On profite des personnes ; elles sont intéressantes, charmantes, drôles, intelligentes, elles apportent vie et une aide quelconque. Mais, peu à peu, la nouveauté se perd ; les personnes commencent à montrer d'autres aspects de leur caractère, les côtés possessifs, agressifs, ou dépressifs qui blessent et peuvent faire mal ou éveiller des angoisses. Quand une relation devient difficile, on risque de laisser tomber l'autre, à moins qu'il y ait engagement et responsabilité mutuelle. C'est cela la communauté.

On choisit des amis mais on ne choisit pas nos frères et sœurs. De même dans la communauté, ils sont donnés. C'est là où se situent toutes les difficultés de la vie communautaire ; car parmi les membres, certains attirent ; ils sont sympathiques ; nous avons les mêmes idées, sensibilité et vision. D'autres rebutent ; ils nous sont antipathiques. Ils ont des façons de faire, des attitudes, des caractères, un sens de l'humour, un regard sur la vie et la vie communautaire différents. Ils blessent et éveillent des angoisses ; leur présence écrase ou leurs attitudes gênent.

Dans l'évangile de Luc, on parle de deux sœurs :

Marthe et Marie. L'une est organisée, forte, elle domine. L'autre, plus jeune, est affective, hypersensible, très relationnelle. Deux femmes ainsi peuvent se blesser et se faire peur mutuellement, ou bien elles peuvent se compléter en reconnaissant le don de l'autre. Dans la vie communautaire il y a un passage à faire entre voir l'autre et les autres comme des rivaux, une menace, dont on est jaloux et on a peur, car ils ont des dons qu'on n'a pas ; et les voir comme membres d'un même corps, différents de soi, mais importants et nécessaires pour la vie du corps. La différence alors ne fait plus peur.

La vie commune devient une véritable école pour croître dans l'amour ; elle est la révélation de la différence et de la différence qui gêne et fait mal ; elle est la révélation des blessures et des ténèbres en soi, de la poutre dans ses propres yeux, des capacités de juger et de rejeter les autres, de ses difficultés à écouter et à accepter les autres. Ces difficultés peuvent amener des personnes à fuir la communauté, à se séparer de ceux qui gênent, à se fermer sur soi-même et à refuser la communication, à accuser et à condamner les autres ; ou au contraire à faire un travail sur soi pour lutter contre ses égoïsmes et son besoin d'être au centre de tout, pour mieux accueillir, comprendre et servir les autres. C'est ainsi que la vie en commun devient une école d'amour et une source de guérison.

Une communauté véritable est mue par une unité qui vient de l'intérieur par la vie et la confiance mutuelle, et non de l'extérieur, par la peur. Une unité parce que chacun est respecté et trouve sa place ; il n'y a plus de rivalité. Cette communauté, unie par une force spirituelle, rayonne et est ouverte aux autres ; elle n'est pas élitiste ou jalouse de son pouvoir. Elle désire simplement remplir sa mission avec d'autres communautés pour être facteur de paix dans un monde divisé.

Faire le passage

Entrer en communauté n'est jamais facile. Cela implique un deuil réel. Pour ceux qui se marient, il est nécessaire de se préparer au deuil de la liberté personnelle. Souvent cette préparation est mal faite. La joie des noces, de briser son isolement, de trouver enfin un compagnon ou une compagne de vie qui me choisit, est telle qu'on oublie de regarder ce qu'on va perdre : son espace privé, une part de sa liberté personnelle. Entrer dans un corps familial ou un corps communautaire est un réel changement. Il y a des exigences précises dans la vie communautaire ; on ne prend pas de décisions tout seul ; il y a des réunions, des rencontres, des façons de réfléchir ensemble. Il y a les exigences d'écoute et ces exigences sont encore plus grandes quand l'autre ou les autres deviennent plus faibles, malades, en dépression. La lune de miel peut se transformer en orage !

Il y a des personnes qui entrent dans une communauté familiale ou dans d'autres formes de communauté simplement pour échapper à leurs propres problèmes. Parfois des couples entrent en communauté pour échapper à leurs problèmes de couple. Quand ils découvrent que la communauté ne résout pas leurs problèmes, ils risquent d'accuser la communauté et de devenir alors un problème dans et pour la communauté. La communauté et le mariage ne sont pas la réponse à tous les problèmes. Ce sont des lieux de guérison et de croissance mais cela demande parfois un bon accompagnement, un guide spirituel, et parfois même une aide psychologique pour éviter les catastrophes et pour que le passage de l'idéal et de l'utopie au réel, le réel des autres, de la communauté et de soi-même, puisse se faire harmonieusement.

Mais la communauté, avec toutes ses joies et ses peines, n'est pas le but ultime de la vie. Chacun meurt seul. Il doit quitter la communauté. Et parfois les communautés humaines se sclérosent, se ferment. Elles peuvent devenir des lieux où on se protège mutuellement, où on cache sa médiocrité où on s'enrichit. Elles ne sont plus un lieu de croissance mais de mort ; chacun réclame que la communauté s'occupe de lui mais personne ne veut s'occuper de l'autre ! Le passage de la communauté pour soi au don de soi pour la communauté n'est jamais fait une fois pour toutes ; il est à refaire chaque jour. La communauté n'est pas comme une belle réponse à tous les malheurs humains, elle demeure un défi. Chaque personne, chaque jour, est appelée à croître et à faire de nouveaux deuils, à cheminer vers un don plus grand d'elle-même. Et parfois il faut savoir quitter la communauté, accepter même d'être rejeté par elle, si c'est nécessaire, pour vivre dans la vérité. Le théologien Bonhoeffer (exécuté par les nazis) dit que Jésus, le grand fondateur de la communauté, est mort seul, hors de sa communauté, entouré de quelques intimes.

Accueil de la différence

Je dirais que la famille est l'école du cœur, l'école de l'amour, où on apprend, parfois à travers des angoisses et des peurs, l'accueil de la différence. Aujourd'hui il y a une tendance à vouloir gommer la différence : tout le monde est pareil. C'est vrai et ce n'est pas vrai. Les personnes avec un handicap mental, surtout avec un handicap lourd, sont très dissem-

216

blables, même si sous d'autres angles elles sont semblables à toute autre personne humaine ; elles ont un cœur ; elles ont besoin d'aimer et d'être aimées, de se réaliser selon leurs possibilités. Mais leurs façons de comprendre, de communiquer et d'aimer sont très différentes. De la même façon, l'homme et la femme sont différents quant à leurs besoins affectifs, leur façon d'aborder la réalité et d'exercer l'autorité.

C'est surtout à l'Arche que j'ai découvert la complémentarité entre les hommes et les femmes. Quand j'étais responsable de la communauté, j'avais toujours une femme comme coresponsable. Dans d'autres communautés de l'Arche, quand il y a une femme responsable, nous voyons l'intérêt d'avoir un homme coresponsable. Il y a une vraie complémentarité entre les deux. L'homme a besoin de la femme et la femme a besoin de l'homme. Bien sûr, c'est une généralisation. Il y a d'autres situations où le manque de présence d'une personne du sexe opposé n'amène aucune difficulté. J'apporte seulement mon témoignage de la valeur de cette complémentarité. C'est bon d'œuvrer ensemble homme et femme, avec nos dons respectifs et nos affectivités et agressivités différentes.

La différence se situe d'abord au niveau du corps et de la sexualité. La femme accueille ; sa sexualité est plus intérieure ; la sexualité de l'homme est extérieure. Ces différences biologiques ont leurs répercussions sur le plan psychologique. Quand l'homme exerce l'autorité, il pense davantage structure, programme l'œuvre à réaliser ; la femme pense plus aux personnes ; l'homme est plus raisonnable, la femme plus intuitive, plus fine, plus délicate, plus proche des détails. Ces différences que j'ai expérimentées mille fois ne sont évidemment pas absolues. Il y a, comme je l'ai dit plus haut, des Marthe et des Marie !

L'homme peut être intuitif et la femme raisonnable. Mais ces singularités existent le plus souvent.

L'homme, souvent, essaie de dominer la femme par sa force ; il refuse d'admettre la qualité de son intelligence ; il ne l'écoute pas. Il cherche le pouvoir. Mais si l'homme prend le temps d'accueillir et d'écouter la femme, il découvre la beauté et la vérité de la complémentarité et de la coopération ; la joie de faire partie d'un corps ensemble. Il y a une véritable transformation qui s'opère en lui. L'homme n'est plus fermé sur lui-même et sur ses propres succès. Il n'a pas toutes les lumières ni toutes la vérité. L'homme et la femme ont besoin l'un de l'autre. Si cette transformation se réalise dans la famille, elle peut se prolonger dans toutes les activités et toutes les rencontres humaines. C'est la réalisation que nous faisons tous partie d'une humanité commune ; nous n'avons pas besoin de gagner pour être. Les autres ne sont pas des rivaux mais des partenaires. La vie ne consiste pas à monter l'échelle aux dépens des autres qu'on a dépassés ; la vie, c'est d'aider chacun à être, à trouver sa place unique dans le corps : reconnaître le don de chacun mais aussi ses difficultés propres.

La communauté, parce qu'elle est le lieu de la rencontre des personnes, est un lieu de guérison des cœurs. Parce qu'on est engagé les uns par rapport aux autres, on va découvrir toutes nos difficultés et toutes nos blessures relationnelles. La sagesse c'est de découvrir qui on est avec nos limites et fragilités cachées. On peut alors chercher de l'aide et du soutien. De l'idéalisme on va vers le pessimisme, puis on arrive à être réaliste.

L'unité dans une famille ou une communauté humaine n'est donc pas fusionnelle où on nie la différence : comme si tout le monde devait être le même et penser de même. L'unité est celle du corps où chaque membre, chaque partie, est différent et apporte un don différent. Mais tous sont unis autour du même but et par leur amour mutuel. Cela implique que chacun soit en train d'être purifié de ses besoins d'exceller et de se prouver mieux ; et qu'il cherche à s'ouvrir et à accueillir le don des autres, à être vulnérable par rapport à eux. L'unité est une réalité qu'il faut travailler constamment.

Un couple à l'Arche m'a impressionné par son unité : la tendresse et l'écoute mutuelles après vingt ans de mariage. Je leur ai parlé de l'importance de leur unité pour l'Arche. « Cela n'a pas toujours été ainsi, m'a dit le mari avec un sourire. Il m'a fallu beaucoup travailler pour construire notre unité. »

Le rôle du faible comme facteur d'unité dans la communauté

Il est clair que les communautés de l'Arche sont fondées sur la relation de cœur et de confiance entre les personnes avec un handicap et les personnes qui ont choisi de vivre avec elles. Le visage ouvert et souriant de Marc et d'Albert me touche profondément. Leur confiance m'attire et éveille en mon cœur des énergies nouvelles. Je ne veux pas et ne peux pas les décevoir. Ils sont comme une ancre pour moi. Ils me gardent dans la fidélité de mon être. Ils m'appellent à demeurer et à ne pas me laisser séduire par le pouvoir, la popularité ou l'ambition. Nous vivons entre nous une alliance qui est un don de Dieu. Je crois que chaque assistant qui vient à l'Arche vit la même expérience. La personne faible nous conduit vers ce qu'il y a de plus profond en nous-même.

En même temps, j'ai découvert à l'Arche la joie de

la confiance entre assistants. Il est bon d'avoir vécu de longues années avec tant de frères et sœurs. Mais nous savons tous que le fondement de notre communion et union est dans les personnes avec un handicap ; sans elles, nous ne serons pas ensemble. Avec elles, nous découvrons notre fécondité. Leurs visages épanouis, leurs corps détendus, nous révèlent qui nous sommes. Ces personnes ne nous possèdent pas ; elles ne s'agrippent pas à nous. Elles nous font confiance comme nous leur faisons confiance. Elles savent que nous avons nos occupations et préoccupations. Elles nous laissent partir pour œuvrer là où on le doit, car elles sont sûres des liens qui nous unissent.

La famille naît d'une autre façon. L'homme et la femme sont attirés l'un vers l'autre, leur attraction mutuelle les amène à vouloir fonder une famille, à avoir des enfants. Après un temps de lune de miel, de la joie et de l'extase, de la communion et de l'intimité profonde, avant même peut-être l'apparition des difficultés réelles dans la relation, il y a la conception et la naissance de l'enfant. Il y a cette joie extraordinaire de pouvoir dire : « Mon enfant » ; d'être source de vie, de regarder le sourire de l'enfant, sa confiance, son petit corps, de le tenir dans ses bras, de jouer avec lui, de sentir monter en soi l'amour maternel ou paternel, de le voir grandir et découvrir le monde. Ce n'est plus seulement l'amour et la confiance mutuels qui gardent l'homme et la femme ensemble, ce sont ces énergies nouvelles de paternité et de maternité. Ils sont tous les deux ensemble, source de vie. Le petit est facteur d'unité.

Mais tout n'est pas simple. L'enfant crie au milieu de la nuit ; il éveille l'agressivité et peut même créer le conflit entre le père et la mère qui voient l'éducation d'une façon différente. De même, à l'Arche, avec la personne avec un handicap, tout n'est pas simple ;

elle éveille également l'agressivité et peut susciter la division. Toutes ces difficultés peuvent provoquer des crises. Celles-ci sont danger et occasion : danger de séparation ou occasion de retrouver une nouvelle unité plus profonde. De toute façon, le petit et le faible appellent à la croissance et à la responsabilité ; il appelle à une unité et aide par là à dépasser les divergences superficielles pour retrouver le plus fondamental.

La communauté : lieu de l'intégration de la sexualité

Il n'est pas facile pour l'être humain de bien vivre sa sexualité. Nous en avons déjà parlé plus haut. C'est surtout dans les noces, que cette intégration se fait avec le plus d'harmonie ; là le corps, l'esprit et le cœur ; la passion, la tendresse et la bienveillance ; l'instant présent de l'extase et la sécurité de l'avenir et de la fidélité ; l'intimité, la communion et le désir de fécondité s'unissent. Avant, et parfois après ce temps merveilleux, il y a discordance entre le cœur assoiffé de communion, la fidélité à une relation unique et les désirs ou les fantasmes proprement sexuels. Combien d'excellents maris m'ont parlé de leurs difficultés sur ce plan et de leur attirance vers de jeunes femmes. L'intégration de la sexualité génitale n'est jamais chose facile. C'est une croissance lente impliquant une force de volonté et des choix clairs, une communion dans l'amour, le souci du bien de l'autre et l'imprégnation de la soif de communion par une nouvelle force divine.

En parlant de l'adolescence nous avons noté combien l'être humain est divisé à l'intérieur de lui-même : il y a, à la fois, une soif et une peur de la communion, d'une communion permanente ; il y a des désirs sexuels plus ou moins coupés de la vie relationnelle proprement dite. Je constate à travers ces trente ans de vie communautaire que la communauté est un des lieux où l'être humain peut retrouver l'unité à l'intérieur de lui-même, pourvu que les membres de la communauté soient profondément unis et aimants entre eux, qu'ils célèbrent leur unité, qu'il y ait une éthique claire et une vie spirituelle orientée vers la communion avec Dieu et avec les personnes. C'est également l'expérience que doivent faire les monastères où chaque membre apprend à intégrer harmonieusement sa propre sexualité grâce à l'amour fraternel.

La fuite de la relation dans différentes activités intellectuelles, manuelles, artistiques, sportives, etc., dans l'exercice du pouvoir, la recherche d'honneur et une image positive de soi, n'amène pas à une intégration de la sexualité comme telle, mais plutôt à un contrôle de la sexualité de l'extérieur, par son rejet. Cela est parfois nécessaire. On met ses énergies ailleurs.

La vie communautaire est essentiellement une vie de relations, de communion, de tendresse, d'écoute et d'amitié. Elle est, comme nous l'avons dit, une école du cœur qui, si elle est inspirée par une recherche de communion avec Dieu, répond en grande partie au besoin profond de communion dans le cœur humain. Elle peut alors transformer radicalement les personnes. La vie relationnelle, l'amour des personnes, devient une source d'unité pour la personne et pour la personne avec d'autres. Ce chemin de croissance prend du temps ; il implique certes des chutes, mais il est un chemin de vie, d'unité et d'intégration. Quand il n'y a pas de vraie vie communautaire aimante et célébrante, l'être humain tombe plus facilement dans la division à l'intérieur de lui-même. Ne trouvant pas de vraies relations de communion dans la communauté, il risque de chercher la communion et même des caricatures de la communion ailleurs.

Dans l'Arche, nous vivons hommes et femmes ensemble dans les mêmes foyers, personnes avec un handicap et assistants. Évidemment tout n'est pas simple ! Nous ne sommes pas naïfs ! Il y a des difficultés, surtout pour des jeunes assistants qui n'ont pas travaillé ces questions et qui pensent qu'une relation vraie implique une intimité physique sans qu'il y ait un engagement mutuel permanent. Ils viennent parfois de familles brisées qui ont provoqué une certaine cassure à l'intérieur d'eux-mêmes. Cela leur prend du temps pour découvrir le chemin d'unité à l'intérieur d'eux-mêmes, la force de communion du cœur et de l'esprit plus profonde que tout désir sexuel, et comment la vie communautaire, une vie spirituelle et une éthique claire peuvent les aider sur ce chemin.

Je suis émerveillé de voir comment cette vie communautaire mixte, pleine d'activités intéressantes et d'une vie relationnelle aimante et célébrante, est source d'équilibre pour beaucoup de personnes avec un handicap ; comme elle est une source d'intégration de leur vie sexuelle. Des hommes et des femmes qui ont vécu toutes sortes d'expériences sexuelles à l'hôpital psychiatrique et qui ont été profondément perturbés par elles, retrouvent peu à peu un équilibre.

Tout cela me confirme dans la conviction que l'activité sexuelle génitale, coupée d'une vie de communion de cœur et d'esprit permanente est source de division dans l'être humain et qu'une vie de communion de cœur et d'esprit permanente et profonde est source d'unité, d'équilibre et d'intégration des désirs et des fantasmes sexuels. Il n'est pas étonnant que dans une société où les lieux naturels d'appartenance se fragmentent, il y ait une fragmentation des personnes et une croissance de toutes formes de déviations sexuelles. Une société qui ne favorise pas la communion réelle entre les cœurs ne peut plus arrêter le désir d'une communion imaginaire faite de fantasmes.

Le corps communautaire, lieu de la culture et de la célébration

La communion est toujours le lieu de la célébration et de la joie. On n'a qu'à regarder la mère et l'enfant ou le couple de fiancés, de jeunes époux ou la joie des vieux époux après des années de fidélité d'amour. Ils sont heureux d'être ensemble. Ce sont les fêtes, les vacances, les anniversaires, les sorties spéciales, qui détendent les corps et ouvrent les cœurs. L'humanité a besoin de la fête. Les communautés de l'Arche et de Foi et Lumière sont des spécialistes de la célébration ! D'abord la communication aux repas et dans les foyers se fait souvent sur le mode de la célébration et du rire ; nous discutons rarement de choses sérieuses. Nous ne sommes pas très intellectuels ! Bien sûr, il y a des moments où il faut être sérieux, il faut discuter, voir et comprendre le sens des choses. Mais le plus souvent ce sont les histoires drôles, le rire, les blagues, les choses qui rassemblent et qui détendent. La célébration et la communication à travers la joie est particulièrement importante pour ces hommes et ces femmes qui ont eu l'impression d'avoir été une source de tristesse pour leurs parents. La célébration leur révèle la joie d'être ensemble, « nous sommes heureux que tu existes tel que tu es ».

La célébration crée l'unité de la communauté et elle en est le fruit. Si une entreprise produit d'une façon exceptionnelle, si une équipe sportive gagne, si quel-qu'un a une promotion, il y a des prix, des applaudis-sements et des honneurs. On est considéré comme le meilleur, le plus fort. La célébration n'est pas parce qu'on a gagné ou qu'on est le plus fort, mais parce que les membres s'aiment entre eux, sont heureux ensemble et chacun a sa place. La célébration jaillit de l'union des cœurs et de la confiance mutuelle.

Une communauté humaine qui ne célèbre plus ris-que de devenir seulement un groupement efficace qui fait des choses. Elle devient une institution. Elle n'est plus proprement une communauté. Quand il y a cette confiance et cet amour réciproques, on aime s'ouvrir les uns aux autres, on aime célébrer et être ensemble. Cette célébration est certes dans le sourire et le rire, dans le partage simple et heureux, dans le souci et la délicatesse les uns pour les autres, dans l'aspect détendu d'une réunion, mais elle se concrétise surtout dans le repas en commun. Un bon repas avec du bon vin. Les mots comme « compagnon, accompagner, copain » ont leurs racines dans les deux mots latins *cum pane*, partager le pain, la nourriture, ensemble. Aristote dit que, pour être amis, il faut manger un sac de sel ensemble, c'est-à-dire prendre beaucoup de repas ensemble.

Le premier acte de communion que chacun a vécu est de boire au sein de sa maman qui elle-même se réjouissait dans son corps et dans son cœur. Se nour-rir ensemble est signe de communion et d'amitié. Le repas est la première des célébrations.

Il y a les détentes et les célébrations de chaque jour, mais il y a aussi les célébrations durant l'année : les anniversaires, les mariages, les naissances, les baptê-mes, Noël, Pâques. Puis il y a les grands anniversaires, les noces d'or, le souvenir de tel événement de l'his-toire d'une famille et d'une communauté. À l'Arche, nous saisissons souvent les occasions de faire la fête. Nous fêtons les anniversaires, pour dire à celui qui est fêté combien il est un cadeau pour la communauté et pour exprimer notre joie qu'il existe ; nous fêtons l'anniversaire de la fondation de la communauté, en lisant notre histoire comme une histoire sainte où il y a eu des interventions de la Providence, et pour rappeler l'essentiel de la communauté, etc.

La fête est aussi le signe du but final de l'humanité. Nous sommes faits pour la communion et la fête, pour la joie et l'épanouissement de chaque personne. La Bible nous montre la fin des temps comme les noces de l'humanité et de Dieu, l'extase de joie et de célébration en Dieu.

La célébration est d'abord un chant de reconnaissance, une action de grâce. On n'est pas tout seul ; on fait partie d'un même corps ; il n'y a plus alors de rivalité, de compétition ; on est ensemble dans l'unité et l'amour. La première richesse de l'humanité n'est pas l'argent ou la propriété mais les cœurs aimants et unis, où les forts viennent au secours des faibles et où les faibles gardent les forts, humains, en les empêchant de devenir des guerriers. La célébration est alors une prière qui jaillit de l'unité entre les personnes, signe et cause de l'unité à l'intérieur de chaque personne et de l'unité avec Dieu. L'eucharistie, qui est au cœur de toute célébration chrétienne, veut dire « action de grâce ».

La célébration est une réalité profondément humaine qui utilise tout ce qu'il y a de beau : les chants, la musique avec les divers instruments, la danse, les décorations, les vêtements de fête, les fleurs, les parfums, la nourriture, le vin, etc. La création entière s'unit dans un chant de joie et d'unité.

Bien sûr, aucune communauté humaine n'est parfaitement unie ; il y a des tiraillements, des ténèbres

et des peurs dans chaque cœur. Il y a toujours des
membres souffrants qui se sentent marginalisés. La
célébration montre et signifie une partie de la réalité.
Elle signifie une espérance, un désir de travailler
davantage pour l'unité et pour la paix.

Le danger aujourd'hui, c'est qu'on ne sait plus célébrer. Partout il y a le self-service ; dans certaines
familles, chacun mange à son heure, car chacun a ses
occupations et ses rendez-vous. On mange vite. Pour
créer l'unité, vivre le corps, il faut savoir prendre le
temps de manger et de bien manger avec du bon vin ;
il faut savoir raconter des histoires, son histoire,
savoir rire et chanter ensemble. Il y a des sorties où
on boit, il y a des spectacles qu'on regarde, mais on a
oublié la célébration et la communication de la célébration. Les fêtes du village avec les chants, les dan-
ses, les vêtements traditionnels, sont des choses du
passé. On les retrouve dans certains villages d'Afrique
et ailleurs. Il ne s'agit pas de pleurer le passé ni de le
faire revivre, mais pour chaque famille ou communauté de redécouvrir la façon de célébrer la communion des cœurs, la solidarité et la fraternité humaines.

Comment aider chaque famille et chaque communauté humaine à profiter des dimanches et des vacances pour être une communauté de célébration ? La
télévision est séductrice ; avec de multiples chaînes et
les différents désirs et besoins de chacun, elle peut
détruire la communication et empêcher la créativité
personnelle. Il s'agit de découvrir la créativité dans le
cœur de chacun, de trouver des jeux ensemble, de
découvrir les talents ; découvrir les gestes qui rassemblent. Avec les quarante heures de travail, on a le temps
de préparer les célébrations, de faire de belles fêtes.
Mais il s'agit de le vouloir et ne pas succomber à la facilité et à la lassitude. La célébration est comme un chant

d'espérance. Pour célébrer, il faut une espérance, l'espérance de la beauté et de la bonté de l'être humain et de la capacité de chacun à s'ouvrir vers l'amour. En même temps, la célébration fait grandir l'espérance.

Chacun a besoin d'une communauté

La communauté n'est donc pas une chose exceptionnelle ; elle n'est pas seulement pour une élite. Elle est une réalité que beaucoup de personnes vivent souvent sans la réaliser ; elles n'arrivent donc pas à l'approfondir et à en profiter pleinement. Les réunions nécessaires dans une entreprise peuvent devenir plus amicales et personnelles. Au lieu de regarder la secrétaire comme une machine qui fait des choses, on peut la regarder comme une personne avec un cœur. Dès qu'on commence à aimer, et à respecter les personnes, il y a une joie qui se communique, des liens qui se tissent. Dès qu'on partage à un niveau plus personnel, dès qu'on s'engage les uns par rapport aux autres, on devient responsable, on chemine vers la maturité humaine ; on devient plus humain, et on découvre la communauté, on découvre la célébration.

Chaque communauté, chaque personne, est appelée à évoluer. Il y a des étapes dans la vie familiale et communautaire. Il y a la conception et la naissance, puis la période de l'enfance et de l'adolescence, puis le temps de la maturité. Après trente ans, l'Arche est dans une période de maturation. Chaque communauté est appelée à trouver et à approfondir son identité, ce qu'elle est, ce qu'elle peut apporter aux autres, sa vocation, et ses charismes particuliers. Et elle est appelée à s'ouvrir aux autres, à collaborer avec d'autres, à être source de vie, de paix et d'unité pour d'autres dans la société.

VI

CHOISIR LA PAIX

Pour prendre conscience qu'on a besoin de changer, il faut d'abord réaliser qu'il y a quelque chose à changer. Si on ne le sait pas, si on se croit juste, bon, et parfait, on ne va pas se mettre en route vers une guérison intérieure. On ne va chez le médecin que si on a mal, ou si on risque d'avoir mal (pour un bilan). C'est la prise de conscience de nos préjugés, de nos difficultés relationnelles et sexuelles, de nos divisions intérieures, de nos difficultés à communiquer, de nos peurs des autres et de nos colères à leur égard, qui nous fait désirer une guérison intérieure. Surtout si celle-ci est motivée non pas seulement par un souci de perfection, mais pour aimer davantage, pour vivre la communion et la coopération, pour être vrai en soi-même et pour choisir la paix.

Bien sûr, il faut que chaque être humain soit compétent selon ses capacités et ses dons. Il y a cependant un désordre quand on ne peut mettre ses compétences au service des autres mais uniquement au service de sa propre gloire et de sa puissance. Il y a un désordre quand on a des préjugés, quand on commet des erreurs de jugement sur les autres, quand on est incapable d'écouter et d'accueillir les personnes différentes, les étrangers ; quand on est incapable de pardonner. Il y a une certaine mort intérieure quand on se ferme sur soi. La vie ne coule plus. On ne donne plus la vie.

Parfois, cette prise de conscience de notre besoin de changer provient de la prise de conscience de la gravité des conflits dans le monde, dans la société, au travail et dans notre famille. L'être humain est-il condamné au conflit continuel, à la haine et à la guerre ? La paix est-elle possible ? Comment renoncer à cet esprit de compétition et de jugement sur les autres qui valorise la force et engendre le mépris de la faiblesse et des différences ?

Œuvrer ainsi pour l'unité et la paix dans le monde commence d'abord chez soi. C'est bien cela que j'ai découvert en vivant à l'Arche. Comment être un réconciliateur dans des pays lointains si on fait la guerre chez soi, dans sa propre famille ou dans son quartier, au travail, à l'école ou dans sa propre communauté humaine ? Agir pour la paix dans un pays lointain peut être une fuite et un refus de regarder ce qui est brisé en soi. Œuvrer pour la paix, c'est accueillir celui qui est près, qui agace et énerve, qui a des idées différentes, qui apparaît comme une menace, qui semble nous dévaloriser, qui éveille des angoisses. C'est ne pas le juger ni le condamner car lui aussi est un être humain en quête de vie, de paix. Il n'est pas d'abord un rival ou un ennemi, mais un frère ou une sœur en humanité, blessé comme nous.

Le grand danger de l'être humain est de refuser et de nier ce qu'il y a de mal et de différent à l'intérieur de lui-même. L'être humain est complexe ; il est corps et esprit ; il est cœur et intelligence ; il est en quête de communion et de réussite ; par son corps il est proche de la terre, par son intelligence il est près de l'universel. Il est aussi un être avec une histoire. Il a des racines dans une famille, comme enfant il a été aimé et rejeté ; dans la vie il a eu des réussites et des échecs ; il a donné vie et il a refusé de donner vie. L'être humain est un mélange de lumière et de ténèbres, de confiance et de peur, d'amour et de haine. La division s'installe quand il refuse de regarder et d'accepter la réalité de son passé, de ses blessures, de ses préjugés, de ses peurs. Bien vite il nie ou il est incapable de regarder tous ses manques d'amour. Il fuit dans les idées, les théories, les rêves et les projets qui prennent toutes ses énergies ; il cherche à se justifier, à prouver sa valeur ; il cherche la reconnaissance ; il a peur de tout jugement et condamnation, de tout ce qui démontre ses torts. C'est comme si, reconnaître tout ce qui est ténèbres et blessures en lui allait provoquer des sentiments intolérables d'angoisse et de mort.

Les blessures dans l'être humain se trouvent à des niveaux différents. Il y a des blessures profondes causées par des situations épouvantables, impossibles à supporter par l'enfant : des abus sexuels, des peurs d'avoir été source de mort et de division pour ses parents, des peurs même d'être anéanti par ses parents. Il fallait cacher derrière de solides barrières, loin dans l'inconscient, ces peurs, ces violences et ces désirs de s'anéantir soi-même. Il fallait les oublier afin de survivre. Elles constituent un monde intolérable de culpabilité. À un moment donné, ce monde ténébreux commence à provoquer des réactions insupportables pour soi-même et son milieu. Pour s'en libérer, il faut l'aide d'un bon thérapeute.

Il y a ensuite les blessures qu'on trouve chez tous ; c'est le monde de l'inconscient formé par la soif de la communion et la peur de la communion à la suite des premiers rejets et des premières peurs de l'enfant. Il fallait oublier pour vivre. Ces blessures se situent à un niveau moins profond que les premières, et les barrières sont moins solides. Le monde des ténèbres qui est là se manifeste à travers maintes peurs, colères et gestes irrationnels, à travers des besoins compulsifs de tendresse, de se prouver, d'avoir raison, de gagner à tout prix, d'être admiré.

Il y a ensuite les blessures provenant des échecs de la vie, des relations brisées, des deuils qu'on n'a pas pu accueillir et qui plongent dans une forme de dépression ou une paralysie de la vie ; ou qui proviennent d'un déséquilibre entre la recherche de compétence, la communion, et la coopération. Ces blessures, pour être guéries, ont besoin d'être accueillies avec l'aide d'un accompagnateur. Il y a ensuite les blessures de la culpabilité morale dont on a parlé dans le chapitre sur la vie d'adulte.

Dans ce monde des ténèbres caché derrière les murs construits autour de ces blessures, il y a l'angoisse, la culpabilité et la colère. L'angoisse est la cause et le fruit de la culpabilité et de la colère mais elle est aussi existentielle et métaphysique. L'angoisse est un sentiment de mort intérieure. Elle jaillit parce qu'on n'est pas Dieu, parce qu'on est mortel, parce qu'on n'a pas toutes les ressources en soi pour une plénitude de vie ; on est limité, très limité ; on a constamment besoin des autres. L'angoisse apparaît comme un malaise à l'intérieur de soi, comme une énergie non canalisée qui tourne en rond. Elle envahit le corps, donnant un sentiment de vide intérieur qu'on cherche à remplir à tout prix — par le bruit, la nourriture, l'alcool, le travail, la télévision, l'art, par la présence d'autres, par un monde imaginaire, par n'importe quoi.

On ne peut pas toujours supprimer le sentiment de vide et les angoisses mais un bon accompagnateur

peut nous aider à les vivre non d'une façon destructrice mais constructive ; on peut remplir le vide
avec des choses qui nous aident à avancer sur la route
de la vie, de la liberté et de la paix.

Nous touchons là la source de nos divisions intérieures, de nos ambiguïtés. Nous voulons et ne voulons pas. Il y a en nous une force inconsciente qui
influe sur nos activités. C'est la découverte qu'on n'est
pas pleinement libre, que même les activités apparemment les plus belles, les plus spirituelles, les plus justes, et oblatives sont mêlées à une recherche de soi.
C'est la découverte que toutes nos difficultés relationnelles, tous nos préjugés proviennent de ce monde de
blessures et de ténèbres à l'intérieur de soi.

L'unité à l'intérieur de soi se fait progressivement
au fur et à mesure qu'on commence à reconnaître ce
monde au fond de nous. On ne nie plus les erreurs
du passé, sa part de responsabilité, ses infidélités. On
commence à ouvrir la porte de son cœur dans un désir
de vérité et de réconciliation. La plupart du temps,
on a besoin de cet ami accompagnateur dont on a
parlé qui peut nous écouter, nous aider à faire la part
des choses. Nous reviendrons plus loin sur cette réalité du pardon des autres et du pardon de soi-même.

Le chemin vers la guérison intérieure et la paix
consiste à se connaître et à pénétrer progressivement
dans ces ténèbres sans y sombrer, apprendre à vivre
les angoisses sans tomber dans la dépression ou dans
la haine de soi, sans se laisser envahir par des sentiments de culpabilité, de mort et de tristesse. Il s'agit
aussi de continuer à faire des gestes qui donnent vie
à d'autres, d'agir pour la justice tout en sachant que
nos motivations demeurent toujours ambiguës. Il
s'agit de reconnaître cette ambiguïté, car on est
humain. Retrouver l'unité à l'intérieur de soi, c'est
reconnaître ces forces inconscientes, en découvrant

que la vie n'est pas dans la réussite extérieure de projets, dans la reconnaissance par d'autres ou dans la
possession de choses et de personnes qui remplissent
le vide intérieur ; c'est reconnaître que la fuite dans
les distractions, la négation du réel, le besoin
d'oublier ne peuvent apporter la vie. Retrouver l'unité
ne vient qu'avec le désir de vivre dans la vérité,
d'écarter les mensonges, le faux, les apparences, les
illusions et les séductions ; c'est affronter le réel en
soi et à l'extérieur de soi avec confiance et humilité.
Ainsi va émerger le « je » profond, caché derrière les
instincts psychologiques qui poussent à réussir, à posséder, à se distraire ou à sombrer dans la tristesse. On
va apprendre à accepter le vide et à bien le vivre.

On va, peu à peu, reconnaître et creuser la distance
entre les sentiments dépressifs, culpabilisants qui
montent de ce monde ténébreux et le « je » profond,
sa personne. On ne dit plus alors : « Je ne vaux rien,
je suis mauvais » mais « ces sentiments de mort, de
tristesse remontent encore une fois à ma conscience ».
Se distancer ainsi des instincts de mort, c'est
commencer à vivre ou à revivre ; c'est affirmer son
espérance.

Mais où trouver les forces pour rompre avec ce
cycle qui nous pousse d'une façon compulsive vers
la réussite ou la dépression ? Ces forces ne viennent
qu'avec la recherche d'intériorisation et de vérité dans
l'instant présent ; elles viennent parce qu'on a
compris que les fausses valeurs du succès et des possessions, de l'extériorité et des honneurs amènent une
autre forme de mort : la mort de ce qu'il y a de plus
vrai, de plus lumineux à l'intérieur de soi, de ses capacités d'amour, de communion. Ces forces naissent et
s'approfondissent à travers des relations nouvelles ou
renouvelées dans la famille, dans la communauté

humaine à laquelle on adhère, en découvrant qu'on est aimé et reconnu en vérité, dans sa personne profonde, accepté avec tout ce qu'il y a de beau et de blessé en soi. Les barrières autour de notre cœur commencent ainsi à tomber.

Nous avons là comme un atterrissage, une incarnation. C'est le passage d'un monde de rêves et d'illusions, d'un monde théorique et idéal à la réalité. Reconnaître son histoire, sa vie, reconnaître le monde dans lequel on vit, reconnaître les autres tels qu'ils sont, avec tout ce qui est beau et blessé en eux. Qu'on le veuille ou non, nous humains, nous sommes tous embarqués dans le même bateau de la vie ; nous sommes tous pareils, avec notre beauté, notre soif de paix, de communion ; avec aussi nos blessures et nos peurs. Nous faisons tous partie de la même humanité. Il vaut mieux qu'ensemble on essaie de créer un milieu de vie et non de mort. On retrouve alors son corps, son passé ; on s'ouvre au monde de souffrance dans lequel on vit. On ose parler de soi. On ose écouter les autres. On n'a plus besoin de prétendre être autre que ce que l'on est.

Ce passage, ou cette conversion, a souvent ses origines dans la rencontre avec une personne qui a reconnu notre beauté profonde, qui a saisi le secret de notre être, caché derrière nos fautes, nos peurs, nos fausses valeurs et tout le potentiel de vie contenu dans ce secret. Dans un film sur la vie de Jésus, Marie de Magdala, que la tradition voit comme une femme victime de la prostitution, dit de Jésus : « Il m'a regardée comme aucun homme ne m'a regardée. » Les femmes prostituées sont des expertes du regard de l'homme, regard du désir ou regard de peur — peur de ses propres désirs sexuels. Et Marie de Magdala a été vue dans son secret, dans cette partie de son être où elle cherche un amour vrai, où elle est pure et innocente, où elle a soif d'être reconnue comme une personne et non pas comme une chose.

Pour moi, cette rencontre s'est réalisée avec le Père Thomas quand il m'a accueilli après toutes ces années passées dans la marine. J'avais l'impression qu'il savait, qu'il devinait tout ce qui était bon ou mauvais en moi — mon secret — qu'il m'aimait et m'acceptait tel que j'étais. Ce fut une libération pour moi. C'est merveilleux d'être vu, d'être reconnu comme une personne, qui a une destinée et une mission.

C'est merveilleux de sentir que quelqu'un a confiance en soi, qu'on n'est pas jugé, condamné ou dévalorisé mais aimé ; qu'on n'a pas besoin de se prouver ; on peut laisser tomber les masques et les murs. Un instant de communion qui éveille les instants de bonheur et de communion de notre petite enfance inscrits dans notre être ; qui apaise les blessures du passé, redonne confiance en soi et déclenche de nouvelles énergies d'espérance. Nous, êtres humains blessés, nous pouvons reconnaître ce regard d'amour qui pénètre au plus profond de nous, comme nous pouvons reconnaître le regard séducteur, faux ou le regard qui cherche à nous utiliser et à nous contrôler. C'est retrouver la communion avec un guide humain et spirituel qui ne va pas nous abuser ou nous accuser, nous faire du mal, mais qui, au contraire, a confiance en nous et nous encourage à avancer dans la vie. Il est là, non pour supprimer notre liberté, mais pour la fortifier.

Cela guérit de pouvoir tout dire à cet autre, en qui on a confiance, d'être pleinement accueilli avec tout ce qui est blessé et brisé en soi, avec tout ce qui, dans le passé, était source de culpabilité. La parole est libératrice. Oser parler parce qu'on sait qu'on sera écouté et compris est la façon la plus réaliste de faire descendre les murs autour de son cœur. Ces murs sont fondés sur la peur d'être rejeté, dévalorisé, jugé ou condamné ; la peur de se trouver sur le banc des accusés. Parler, parce qu'on a confiance, ébranle ces murs. L'enfant caché en soi se libère. Enfin, on a le droit d'être soi-même avec son passé, on n'a plus besoin de se cacher.

Pour certaines personnes cette écoute est faite par un parrain, une tante, un ami, un prêtre, un psychologue, un éducateur, un maître, un guide spirituel. C'est alors la révélation de sa propre valeur cachée derrière ce qu'on pensait être les décombres de sa vie. C'est cette communion et ce regard qui nous amènent à reconnaître d'autres personnes comme des frères et des sœurs en humanité, à oser entrer en communication avec certains, qui nous font mal intérieurement, pour les aider à renaître dans l'espérance de leur propre beauté, et dans l'acceptation de leurs propres blessures. C'est cette communion et ce regard qui vont nous amener à vouloir faire vivre, encore plus, ce qu'il y a de plus profond en soi, le secret de notre être.

L'intériorisation

Jésus critique avec véhémence ceux qui prétendent être religieux et vertueux, faisant des prières et des jeûnes pour être bien vus ; ceux qui cherchent à paraître purs par l'observance des rites. « Malheur à vous, scribes et pharisiens, hypocrites, qui ressemblent à des sépulcres blanchis ; au-dehors ils ont une belle apparence mais dedans ils sont pleins d'ossements de mort et de pourriture ; vous de même, vous offrez aux yeux des hommes l'apparence de justes mais au-dedans vous êtes pleins d'hypocrisie et d'iniquité[1]. »

---

1. Mt 23, 27-28.

Il faudrait lire tout ce chapitre 23 de l'évangile de Matthieu pour voir la violence en Jésus par rapport à ceux qui utilisent les choses religieuses pour avoir un pouvoir spirituel et qui ne vivent pas intérieurement l'essentiel de l'amour, de la compassion, de la justice et de la foi. S'occuper des autres, faire la charité, travailler dans des associations humanitaires, être associé aux personnes avec un handicap, pour être applaudi et honoré, ou fortifier une image bonne de soi n'est qu'hypocrisie. Au lieu d'être là pour les autres et pour leur bien, on agit pour combler ses manques affectifs, pour être reconnu, pour exercer un pouvoir. Personnellement je sens ce piège ; je suis souvent applaudi lors de conférences que je donne sur le pauvre ; on m'apprécie et on m'honore pour l'Arche. Il est normal qu'il y ait une certaine reconnaissance des actes justes et vrais ; mais combien vite on s'attache aux honneurs et aux applaudissements ; on cherche à être glorifié. Comment demeurer vrai dans ce domaine ? Dans le chapitre 5 de l'Évangile de Matthieu, Jésus condamne non seulement ceux qui tuent mais ceux qui désirent activement tuer et de qui jaillissent des vibrations de haine et de colère ; il condamne aussi ceux qui non seulement commettent l'adultère mais qui désirent activement la femme d'un autre.

On ne peut trouver l'unité en soi-même et l'unité avec les autres, les différents, qu'en s'intériorisant, en ne cherchant plus à paraître mais à être, en trouvant son centre, la source profonde de son être cachée derrière ses barrières intérieures.

Un des mouvements que j'apprécie le plus, car j'ai pu constater les résultats, c'est les Alcooliques Anonymes (AA). Ce mouvement et tous les autres mouvements qui s'y rattachent ont pour mission de libérer les hommes et les femmes de l'emprise de l'alcool. Pour cette libération, il faut avoir d'abord le désir de s'en sortir. Ensuite, il faut faire partie d'un groupe avec qui on partage, en vérité, ses luttes et tout ce qui est brisé en soi ; il faut aussi se soumettre et s'abandonner à une puissance ou une énergie supérieure qui vient de Dieu. Et finalement, il faut découvrir sa propre capacité de donner vie aux autres, en les soutenant dans leur lutte contre l'alcool.

AA a très vite saisi que derrière le désir de l'alcool — désir qui se loge pour certains dans le corps et dans le sang — il y a un besoin énorme de fuir ses propres angoisses et malaises intérieurs, ses sentiments de culpabilité. On cherche à tout oublier dans l'alcool. La libération de l'alcool implique alors la capacité d'affronter ces angoisses, de les regarder en face et d'en parler. Cela implique le soutien des autres dans une vie communautaire légère et simple, et cette foi dans une puissance supérieure qui donne la force de dire non à l'alcool. Il s'agit alors de découvrir qu'au centre de soi-même, derrière toute la dépression, il y a une présence de Dieu. Cachée derrière les décombres de son histoire, et de ses incapacités de faire face à des situations, il y a encore la vie prête à éclore. Il faut alors veiller sur cette vie, s'occuper de ce trésor caché dans le champ de son être. C'est sa personne secrète, le lieu du plus profond de soi où réside le petit enfant, l'innocent, en quête d'amour, de tendresse, de pureté et de communion. Cette vie est si fragile ! Depuis si longtemps on l'avait enfermée derrière les barrières de la prison de son être. Elle a besoin de beaucoup de délicatesse et de tendresse. Elle est comme un nouveau-né qu'il faut entourer de beaucoup d'amour. Elle risque si vite d'avoir peur ; elle a besoin d'aide pour ne pas sombrer de nouveau derrière les barrières de ses ténèbres.

Pour certaines personnes, s'abandonner à une puissance supérieure c'est prier. Mais prier n'est pas, d'abord, dire des prières. C'est ouvrir cette partie la plus intime de soi à Dieu. C'est découvrir qu'au plus profond de son corps et de son être il y a une source et que cette source est Dieu. Dieu est la force qui unifie tout l'univers, et qui donne un sens à chaque chose. Dieu est « le tout » qui dépasse le temps. Mais Dieu n'est pas simplement une force, une énergie ou une lumière. Dieu est une personne avec qui on peut communiquer et vivre la communion, quelqu'un qui peut combler notre soif d'aimer, d'être aimé. Dieu est une personne discrète qui se cache à l'intérieur de soi. Il attend pour qu'on se tourne vers lui, car il ne veut pas s'imposer ou briser notre liberté, afin de l'entendre murmurer : « Je t'aime. Tu es beau, mais tu ne le sais pas ou tu l'as oublié. »

J'ai l'impression que ce Dieu caché en chaque chose et surtout dans le cœur de chaque personne, souffre des images ou des idoles qu'on a faites parfois de lui à travers les siècles, à travers une mauvaise éducation religieuse. On a faussé alors son image. On a fabriqué un dieu législateur, prêt à punir, un dieu de dureté qui nous culpabilise parce qu'on ne suit pas la loi ; on a fabriqué un dieu qui approuve des rites et des actions extérieures mais qui ignore le cœur humain. Le vrai Dieu est le Dieu de la vie, caché au plus profond du cœur humain, qui ne juge pas, qui ne condamne pas. Il n'est pas d'abord un Dieu de la loi mais un Dieu de la communion. Il est le Dieu des pauvres et des faibles révélé par et en Jésus. Il est là pour aimer, encourager, confirmer, pardonner et libérer chaque personne humaine. Il est là comme une source prête à jaillir. Il est une personne, un père, une mère pleine de tendresse ; un bien-aimé, qui accueille et repose. Jésus est venu nous révéler le visage de ce

Dieu caché : « Venez à moi vous tous qui peinez et ployez sous le poids du fardeau et je vous donnerai le repos [1] ». « Si quelqu'un a soif qu'il vienne à moi et qu'il boive » (Jn 7).

Dans une de nos communautés, il y a Pierre, avec un handicap mental. Un jour, quelqu'un lui a demandé : « Aimes-tu prier ? — Oui », a-t-il répondu. « Que fais-tu quand tu pries ? — J'écoute. — Qu'est-ce que Dieu te dit ? — Il me dit : "Tu es mon fils bien-aimé". »

L'intériorisation est la découverte de ce Dieu comme une source en soi, à laquelle on peut boire et se rafraîchir, se laver. L'intériorisation consiste à se libérer des besoins de s'extérioriser, de se prouver ; à se libérer des prisons de tristesse et du manque de confiance en soi pour se reposer dans la Source et dans une communion qui donne vie. C'est la découverte qu'au-delà, et en deçà, de toute chose et de toute loi, il y a une communion possible, une communion secrète avec ce Dieu qui vivifie et libère sa personne propre, son « je » ultime ; une communion qui est joie et fécondité. Quand on a découvert cette nouvelle puissance à l'intérieur de soi, il faut se discipliner pour y revenir. Il y a les moments où la prière est appel, elle est joie, elle est attirance, elle est lumière chaude, elle est communion et repos. Mais il y a d'autres moments où ce Dieu caché se cache encore plus derrière nos angoisses, nos peurs et nos besoins de nous prouver. Il faut alors la discipline de venir souvent se mettre en face et dans le cœur de ce Dieu caché, l'appeler au secours.

L'intériorisation est une croissance. Comme nous l'avons vu, l'être humain se définit par la croissance.

1. Mt 11.

Et la croissance est lente. Derrière nos barrières puissantes se cachent les peurs et les angoisses primales de notre vie, mais aussi la source de la vie. Les barrières ont comme fabriqué des attitudes égoïstes de recherche de soi, d'autodéfense, des désirs de pouvoir, de possession, de puissance et de tendresse. Cela va prendre du temps pour que ces barrières bougent et tombent par la force cachée de cette source intérieure qui commence à couler et à imprégner tout notre être. Il y a une transformation alors qui commence à s'opérer, mais elle implique une lutte et du temps. Elle implique des blessures, des souffrances. Pour que la vigne donne des fruits, beaucoup de fruits, il faut que les branches soient taillées, blessées et saignent.

La communion avec Dieu et la source secrète de son être n'enferme pas alors dans le spirituel et dans une jouissance de paix intérieure, elle va nous conduire vers le pauvre, le faible, à vivre une communion réelle avec lui.

La recherche de l'humble, du petit, du différent

La guérison intérieure se manifeste, se réalise lorsqu'on commence à modifier ses habitudes de recherche constante de pouvoir, de sécurité, de possession, de jouissance, d'avoir raison ; et la façon dont on rejette et méprise certaines personnes ou groupes de personnes. Nous l'avons dit, l'être humain dans toutes les cultures, établit une hiérarchie sociale. En haut, il y a les réussis, les honorés, les privilégiés, les puissants ; en bas, il y a les vauriens, les incapables, les pauvres, les inutiles, les personnes avec un handicap. Cette classification peut se faire aussi selon les sexes : l'homme est plus fort que la femme ; ou selon les races, les religions, les nationalités, la santé physique ou mentale, les degrés d'intelligence, d'éducation de l'avoir, etc. D'une façon générale, tout ce qui permet la puissance : argent, capacités, force, etc. est vu comme meilleur que l'impuissance ou la faiblesse ; le travail intellectuel est plus noble que le travail manuel comme la raison est plus noble que le corps. Les barrières psychologiques confirment cette hiérarchie ; elles ont été créées pour cacher la faiblesse, la culpabilité et pour prouver l'excellence des forts.

Il s'agit donc d'affaiblir ces murs ou ces barrières pour libérer chacun de ces préjugés, libérer la source de vie en chacun, l'ouvrir aux dons des autres. Pour cela, il faut aller dans le sens opposé, dans le sens de la rencontre et de la communion, avec ceux qu'on méprisait et rejetait ou de qui on ne faisait aucun cas.

Cette rencontre avec des gens limités, différents, et appauvris, des personnes d'une autre classe ou d'une autre race, commence souvent par des gestes de générosité qui peuvent se prolonger dans l'écoute, le dialogue et la communion. Au début, cette rencontre peut paraître difficile, voire impossible ; on est si différent. J'ai vécu moi-même ces difficultés aux débuts de l'Arche. Elle ébranle notre système de valeurs et nos certitudes. Elle implique une ouverture pour accueillir ce différent — et un *a priori* favorable qu'il est une personne humaine, unique, importante — un frère ou une sœur en humanité.

Mais quand on s'approche de lui, en essayant de pénétrer à travers un mur de peur et de préjugés, peut-être avec l'aide d'une tierce personne, le cœur peut être touché. Ainsi est éveillée en soi la compassion. Pour la première fois, on regarde ce pauvre comme un autre soi-même, on ne le juge pas ; on commence à comprendre ses souffrances et ce qu'il vit. Il est une personne humaine, comme soi-même on est une personne humaine ; il a un cœur et une sensibilité qui ont été aussi blessés. Cette communion, ou rencontre, est une réalité belle et mystérieuse. C'est comme si les systèmes de défense tombaient pour un moment. Elle met chacun dans un état de vulnérabilité et d'ouverture, à tel point qu'on ne sait pas bien où elle peut mener. En elle il y a quelque chose de divin, de supra et infra rationnel, comme une présence de Dieu. On est pauvre l'un devant l'autre. On découvre qu'on n'a rien d'extérieur à donner, seulement son cœur, son amitié, sa présence. Et tout cela se passe avec peu de paroles, à travers le regard, et le toucher. C'est à ce moment qu'on découvre qu'en cette personne affaiblie, en détresse, il y a une lumière qui brille, qu'en l'écoutant on est enrichi, on apprend quelque chose de l'humain et de Dieu. C'est un moment de communion qui est source de guérison pour les deux.

Mais il ne faut pas idéaliser les pauvres. Je le sais par expérience à l'Arche. Il y a beaucoup de blessures, de dépression et de colère en certains. Ils ont trop souffert de violence et de rejets. On leur a trop menti. Il n'y a pas toujours ces moments de communion. Parfois, les premiers moments d'une rencontre sont doux mais, par la suite, les attentes irréalisables et les éléments de trouble se font jour. On n'arrive pas à répondre à l'attente de certains. Leurs désirs sont trop importants. La colère apparaît et il y a des explosions.

Être guéri par le faible

Quand je vois un homme fort qui est efficace et capable, revenir à la maison et se mettre à quatre pattes pour jouer avec ses enfants, rire avec eux, devenir un enfant avec eux, je me dis que ce papa-là est humain, profondément humain. Il ne regarde pas ses enfants du haut d'un piédestal d'autorité et de savoir. Il se laisse toucher par leur petitesse.

À l'Arche et dans les communautés de Foi et Lumière, on ne cherche pas d'abord à être *pour* les personnes avec un handicap mental, mais *avec* elles ; on cherche à créer des liens, à rire ensemble, à célébrer la vie ensemble, à être heureux ensemble. Bien sûr, il y a la nécessité d'une bonne pédagogie et d'une bonne éducation ; on peut, certes, leur apprendre des choses ; il leur faut de bons soins. Mais il leur faut surtout ces liens de communion et d'amitié où on est vulnérable l'un en face de l'autre. C'est alors la fête des cœurs. La personne appauvrie n'est plus un pauvre ; elle est une personne. Elle découvre qu'elle peut donner, elle donne de la joie et de la vie ; elle perçoit que l'autre est heureux de la retrouver. Nous touchons là au mystère de la communion.

Jésus invite ses amis et disciples à ne pas inviter à leur table des membres de leur famille, les riches voisins, leurs amis, mais les pauvres, les estropiés, les infirmes, les aveugles [1]. Et « Vous serez alors heureux, bénis de Dieu ». Manger à la même table que les pauvres, les « inutiles » c'est, dans le langage biblique, devenir leur ami, entrer en communion avec eux. C'est ce que nous tâchons de faire à l'Arche et à Foi et Lumière.

Un responsable de l'Arche me parlait de sa maman qui a la maladie d'Alzheimer. Elle est devenue toute petite et pauvre ; elle ne sait plus manger ou s'habiller seule. Elle ne peut même pas se brosser les dents : « Mais c'est de mon papa dont je veux vous parler, me disait-il. C'était un homme fort, efficace, structuré, qui bossait beaucoup — à la limite il ne s'attardait pas auprès des personnes. Il avait trop de choses à faire et

---

1. Luc, 14.

à organiser. Mais il n'a pas voulu mettre maman à l'hôpital. Il l'a gardée à la maison et c'est lui qui la soigne. C'est lui qui la fait manger, lui brosse les dents. Et maintenant mon papa est complètement transformé par elle. Il est devenu un homme de tendresse et de bonté. » Cela ne veut pas dire que ce père n'est plus capable d'être efficace. Il a commencé à développer un autre aspect de son être : sa tendresse pour une personne démunie, sa capacité de l'écouter, de la comprendre, d'être en communion avec elle.

Tendresse ne signifie pas sentimentalité et émotivité. Elle est douceur et bonté qui ne font pas peur. Elle est délicatesse qui révèle à l'autre qu'on le considère comme important, comme ayant une valeur.

La tendresse se révèle dans le ton de la voix, la façon de toucher. Elle n'est pas mollesse mais une force sécurisante transmise à travers les yeux et les mains. Elle est une attitude du corps, tout attentif au corps de l'autre. La tendresse ne s'impose pas ; elle n'est pas agressive ; elle est douce et humble. Elle n'est pas commandement. La tendresse est pleine de respect. Elle n'est pas séductrice. Elle est une écoute et un toucher qui suscitent et éveillent des énergies dans le cœur et le corps de l'autre. Elle communique la vie et la liberté. Elle donne envie de vivre. La tendresse est la mère qui donne le bain à son enfant en lui révélant sa beauté ; elle est l'infirmière qui touche et soigne une plaie en faisant le moins de mal possible.

La tendresse ne s'oppose pas à la compétence et à une certaine efficacité. Au contraire. Quand on donne à manger ou quand on donne le bain à quelqu'un, il faut aussi être compétent et efficace. Il ne s'agit pas de laisser tomber l'autre, de lui faire du mal ou de le laisser sale ! La tendresse et la communion sont appelées à envelopper la compétence.

Un jour, je regardais un homme avec un handicap. Dans sa main, il avait un petit oiseau blessé. Il avait fait de sa main un nid, pas trop ouvert pour que l'oiseau ne tombe pas, pas trop fermé pour ne pas l'écraser. Le nid est un lieu sécurisant où l'oiseau peut grandir pour s'envoler un jour vers la liberté. Les bras d'une maman sont un nid pour l'enfant, non pour le retenir mais pour lui donner la sécurité pour qu'un jour il puisse s'envoler. C'est ainsi la tendresse.

Nous sommes habitués à ce que le faible ait besoin du fort. C'est clair. C'est évident. Mais l'unité à l'intérieur de soi, la guérison intérieure, se réalise quand le fort découvre qu'il a besoin du faible. Le faible éveille et révèle le cœur ; il éveille les énergies de tendresse et de compassion, de bonté et de communion. Il éveille la source. C'est la petite maman avec la maladie d'Alzheimer qui a éveillé la source profonde de l'être de son mari ; elle a fait émerger son « je » profond. En accueillant avec tendresse sa femme si faible, son mari, le fort, a commencé à accueillir sa propre faiblesse, le faible, l'enfant — et l'enfant blessé — en lui. Il a découvert ainsi qu'il avait le droit d'avoir des failles et des faiblesses, qu'il n'avait pas besoin d'être toujours fort, de gagner, de réussir et de dominer. Il pouvait être vulnérable. Il n'avait pas besoin de porter un masque et de paraître autre qu'il n'était. Il pouvait être lui-même. Cette transformation implique des morts intérieures successives, des souffrances, peut-être des moments de révolte : tout n'est pas simple. Il faut du temps et des efforts continuels pour rester fidèle à la communion. Mais cela amène à la découverte de sa vraie humanité : une libération intérieure profonde. En découvrant la beauté et la lumière cachées dans le faible, le fort commence à découvrir la beauté et la lumière dans sa propre faiblesse. Même plus, il découvre la faiblesse comme le lieu privilégié de l'amour et de la communion, le lieu privilégié où Dieu réside. Il découvre le Dieu caché dans la petitesse. C'est une libération encore plus grande.

Nous avons là la découverte fondamentale des communautés de l'Arche et de Foi et Lumière, qui leur donne une spiritualité précise et claire et les rend à la fois très nouvelles et très fragiles. Cette découverte ne peut être structurée ou imposée. Elle n'est pas de l'ordre de la loi ; elle est un don gratuit : le faible communique une présence. Dans ma communauté, nous avons accueilli Antonio qui a vingt-cinq ans ; son corps est petit et blessé, tout recroquevillé. Il ne peut ni marcher, ni parler, ni manger seul. Physiquement, il est faible et risque de ne pas vivre longtemps. Il est constamment sous oxygène. Mais, en même temps, Antonio est un rayon de soleil. Quand on s'approche de lui et l'appelle par son nom, ses yeux brillent de confiance et son visage éclate en sourire. Il est tellement beau. Sa petitesse, sa confiance et sa beauté attirent les cœurs. On a envie d'être avec lui. Le pauvre dérange mais aussi éveille le cœur. Évidemment, Antonio nous dérange ; il est si pauvre ; il a besoin d'un soutien compétent et constant et la nuit comme le jour. Il a besoin d'être lavé et nourri. Il a besoin qu'on soit proche de lui. Mais aussi il éveille le cœur des assistants ; il les transforme et leur fait découvrir une nouvelle dimension de l'humanité. Il les introduit non pas dans un monde d'action et de compétition mais de contemplation, de présence et de tendresse. Antonio ne demande pas d'argent, ni des connaissances, ni un pouvoir ni un rôle ; il demande essentiellement une communication, de la tendresse. Peut-être révèle-t-il un visage de Dieu, un Dieu qui ne règle pas tous nos problèmes par la force et un pouvoir extraordinaire, mais un Dieu qui mendie nos cœurs, qui appelle à la communion.

Antonio est un exemple frappant, révélateur de la communion. Chez d'autres cette révélation est moins visible. Il y a des personnes avec un handicap qui ont besoin d'un travail intéressant et rémunéré. Ils veulent une certaine indépendance et une certaine autonomie. Il s'agit de les aider à les acquérir, même si leurs capacités sont limitées. Mais, au fond d'elles-mêmes, il y a une puissance de confiance dans les autres et un appel à la communion que des personnes pleinement développées sur le plan intellectuel et manuel ont, semble-t-il, oublié ou rejeté. C'est cette confiance dans les autres qui est à éveiller et à accueillir, car elle ouvre à la communion. Il y a chez les personnes avec un handicap mental une soif et un désir pour la communion plus grand que d'ordinaire. C'est le mystère de leur être ; elles ont moins de barrières et d'orgueil. Comme Antonio, mais d'une façon différente, elles dérangent et éveillent.

D'autres personnes avec un handicap mental sont plus angoissées. Elles sont enfermées dans des psychoses dès leur enfance. Leur soif de communion est très cachée derrière des murs solides ; elles ont tellement peur de la relation que ce n'est facile ni pour elles ni pour leur entourage. Leurs peurs, leurs blocages, parfois leurs violences, font peur. Elles éveillent l'angoisse plutôt que la communion. Pourtant, si on comprend leur mode de fonctionnement et leur façon de communiquer, si on accepte les rejets initiaux, on découvre leur cœur assoiffé de communication.

Cette soif de la communion existe aussi chez des personnes violentes très blessées par l'abandon. Parfois, il y a en elles une telle révolte, une telle capacité de manipulation qu'il n'est pas facile de les approcher ; il faut une force intérieure et faire partie d'une équipe thérapeutique pour pouvoir les rejoindre, en vérité. Ceux qui visitent les personnes en fin de vie dans les soins palliatifs, remarquent comment ces rencontres avec ces personnes les transforment. Évidemment, avec elles, on parle plus vite de l'essentiel, on se rencontre à un niveau plus profond et personnel. Les personnes en situation de faiblesse laissent tomber les barrières plus vite ; elles ne cherchent pas à se prouver ou à se cacher derrière des masques. Elles ne peuvent pas cacher leur faiblesse. Il y a une grande vérité dans leur partage et leurs réactions. Et la vérité rend libre.

Il y a quelques années, j'ai été invité à faire une retraite à Fort Simpson, dans le grand nord du Canada, auprès du peuple Deny. C'était une expérience forte pour moi d'être avec ces hommes et ces femmes, certains vivant de la chasse, leurs visages burinés par le froid, le travail et de longs voyages. Mes conférences furent traduites phrase par phrase dans la langue deny. À un moment, on m'a dit : « On saura si tu dis vrai, car nos anciens auront des rêves. » J'ai dû passer l'examen des rêves, car on m'a demandé de revenir ! Ces peuples autochtones ont beaucoup souffert, non seulement des Blancs conquérants mais parfois aussi des missionnaires qui les ont vus comme des païens, des êtres loin de Dieu. Il fallait alors que ces hommes et ces femmes quittent leurs symboles et leurs rites religieux pour recevoir les rites et symboles religieux de la vraie religion venue de l'Europe. Maintenant, heureusement, bien que très tard, on commence à saisir comment Dieu était présent dans ce peuple bien avant l'arrivée des Blancs : c'était un peuple profondément croyant et religieux, avec un sens profond de Dieu et souvent mené par des rêves inspirés par Dieu. Ils ont aussi un sens profond de l'humain, de la terre. Depuis trop longtemps on les a mis à l'écart. Et pourtant ils ont tellement à apprendre à la société occidentale qui a perdu le sens de l'humain, de la communauté humaine et de la terre ! Encore une fois, la pierre rejetée par les bâtisseurs doit devenir la nouvelle pierre d'angle. Ceux qu'on rejette portent en eux les éléments nécessaires à la guérison de ceux qui ont rejeté.

Être disponible

La difficulté dans ce domaine n'est pas tant de s'arrêter et d'écouter une personne différente. Certes, il y a la peur de la rencontre, la peur de devenir vulnérable, la peur même d'être abusé par l'autre, mais, plus profondément, il y a la peur de toutes les conséquences. Devenir l'ami d'un pauvre n'est pas anodin. C'est facile de visiter des détenus en prison. Quand ils sont en prison, il y a des heures fixes de visite ; on est protégé par les gardes. C'est facile de les écouter, de dialoguer avec eux, d'entrer en relation amicale avec eux. Le problème vient après, quand ils quittent la prison. Ils risquent alors de venir vous rendre visite, surtout si on est devenus amis, non pas à des heures fixes, mais au milieu de la nuit. Est-on prêt à être dérangé ainsi et à vivre toutes les conséquences de la communion ?

Si on donne du pain à la personne affamée qui frappe à la porte, ne risque-t-elle pas de revenir plus tard ? La faim revient vite, trop vite. Ce n'est pas sans conséquences d'entrer en relation avec quelqu'un en détresse, conséquences qui touchent à l'emploi du temps, la disponibilité, les responsabilités déjà prises, ou peut-être simplement à la possibilité psychologique et affective d'accueillir une autre personne à l'intérieur de soi.

Il y a des choix à faire. Est-ce qu'on est prêt à orienter sa vie d'une autre façon, à renoncer à certaines activités, certains loisirs ou certaines distractions, même à une certaine forme de travail qui plaît, à certaines amitiés superficielles, pour vivre une nouvelle forme de relation ? Ces renoncements ne sont pas faciles ; ils demandent une force nouvelle. Sont-ils possibles sans retrouver de nouveaux amis, une nouvelle communauté, de nouveaux frères et sœurs, qui apportent le soutien nécessaire et qui donnent courage et encouragent ? En effet, cette relation, où on découvre la personne démunie, ses souffrances, son cri, son besoin profond entraîne sur de nouveaux chemins où les barrières autour du cœur commencent à tomber ; où on devient un homme ou une femme de paix, de réconciliation. C'est sur ce chemin, d'une façon très inattendue, que Raphaël, Philippe, m'ont conduit. Un chemin de libération, de paix intérieure, un chemin d'espérance.

Une transformation intérieure

Pour beaucoup de gens fixés, stabilisés dans leur travail, leur famille, leurs amis, leur statut social, leurs responsabilités, leur foi, il n'y aura peut-être pas de grands choix à faire impliquant des bouleversements de vie et d'habitudes. Certes, la communion avec telle personne malade ou ayant un handicap, telle personne en prison ou dans une maison de repos, va impliquer certains changements et certains renoncements par rapport aux loisirs et aux plaisirs qu'on s'offre. Mais, plus profondément, cette communion peut amener une conversion par rapport à certaines valeurs qui jusqu'à présent ont paru essentielles. Si souvent, on est motivé par l'honneur, la promotion et l'intégration dans un groupe social ! Le corollaire de tout cela est un certain mépris des pauvres, des étrangers, des marginaux, des autres. Même si, théoriquement, on ne les méprise pas, dans la pratique, on les méprise, on ne cherche pas leur compagnie, au contraire.

Puis, il y a la rencontre. Il y a une communion qui s'établit avec quelqu'un de marginalisé, plus pauvre, d'un autre échelon social, un étranger. On n'a peut-être pas beaucoup de temps à lui consacrer mais on reconnaît un lien de communion. Cette découverte de la beauté et des souffrances du pauvre que, jusque-là, on a plus ou moins méprisé ou ignoré, peut ébranler la hiérarchie des valeurs et des préjugés. On découvre qu'il vit des valeurs de vérité, de bonté, de simplicité que peut-être soi-même on ne vit pas, on découvre qu'il est proche de Dieu.

Il y a des personnes dont la vie a été complètement bousculée par la rencontre avec un homme ou une femme musulman qui vit profondément sa foi et sa vie de prière. Le mépris s'est changé en admiration et respect. De même, ceux qui deviennent amis d'une personne avec un handicap mental peuvent se mettre sur la route d'une transformation et, de toute façon, ils vont être choqués, bouleversés, par la loi qui permet l'avortement d'un enfant avec un handicap dans le sein de la mère jusqu'à peu de temps avant la naissance prévue. Celle qui, jusqu'à présent, a été vue comme un problème à résoudre, un drame à éviter, quelqu'un à écarter de la société, est vue comme une lumière et une source de vie. Ce sont alors les fondements d'une certaine vision ou hiérarchie sociale qui sont ébranlés. On découvre pour la première fois la beauté de l'être humain, de tout être humain, la beauté de notre humanité en dehors de toute hiérarchie par la race, le sexe, la religion, la classe sociale, la nationalité, la force, l'intelligence. S'il y a une hiérarchie, elle est celle du cœur, celle de l'amour. Cette hiérarchie-là on ne peut la juger, car elle est le secret de chaque personne. Elle est le secret de Dieu.

Cette communion est l'ouverture du cœur. Elle est la brèche qui se produit dans les barrières autour du cœur et de notre système de défense. Elle ouvre à un autre monde. Elle fait découvrir qu'on ne peut découper le monde selon une hiérarchie sociale ; qu'il n'y a pas, d'un côté, les bons et, de l'autre, les mauvais. Elle brise les idéologies et les préjugés de classe, de race et de famille. Elle révèle le mensonge de notre société et des échelons sociaux.

Cette brèche n'est pas chose aisée à réaliser, surtout quand une personne se définit par son groupe social, ethnique, religieux, national, et par sa place dans ce groupe et les valeurs de ce groupe. Quand on ne croit pas suffisamment en soi-même, en sa conscience personnelle et en sa mission en tant que personne, on tend à profiter de chaque signe pour prouver sa propre valeur, sa supériorité. On a du mal à laisser tomber les préjugés, et à devenir l'ami de quelqu'un de rejeté et d'exclu par le groupe social auquel on adhère.

La communion avec le pauvre, avec l'étranger, est un geste personnel du « je » qui émerge ; elle n'est pas le fait du groupe ; elle peut être même en contradiction avec la vision du groupe. Elle affirme une autre réalité, une autre valeur, une autre ouverture. Elle ébranle cette certitude que l'appartenance au groupe est la valeur ultime. Cette conversion qui est une affirmation du « je » personnel au-delà du groupe, peut s'accompagner d'angoisses profondes. Elle pourrait entraîner les mêmes angoisses chez un Russe à l'époque stalinienne qui aurait cherché à entrer en contact avec un étranger en visite à Moscou, ou chez un Amé-

ricain qui aurait eu un ami communiste au temps de
la chasse aux communistes, ou chez un catholique qui
aurait prié dans une église protestante avant Vati-
can II ou chez un jeune d'un groupe de durs et de
forts qui s'attacherait à une personne avec un handicap mental. Ce sera la même chose pour une personne
individualiste et cynique, entourée d'amis cyniques,
qui affirme son désir de suivre Jésus, dans une Église
pour être plus pleinement elle-même, pour accéder à
une liberté intérieure plus grande. On est alors sus-
pect ; on n'est pas considéré par le groupe comme un
bon, comme quelqu'un de sûr ; on dévie de la ligne
du parti. On se sépare des autres ; on affirme ou on
témoigne d'une vérité qui n'est pas celle du groupe ;
on affirme le primat de la conscience personnelle sur
la conscience collective. On affirme le « je » personnel.

L'accueil de l'ennemi

Les antagonismes entre humains sont le lot de
l'histoire de l'humanité. Ils sont les conséquences de
ce besoin profond inscrit dans le cœur de chaque
homme, de chaque femme, de chaque groupe humain,
de chaque lieu d'appartenance, d'affirmer et de prouver qu'il est le meilleur, le plus fort, le plus proche de
Dieu. Ils sont inscrits dans toute compétition. Il y a
ceux qui gagnent et ceux qui perdent.

L'histoire de l'humanité est une histoire de guerres
et d'oppression. Un peuple qui cherche à supprimer
un autre peuple, prendre sa terre et le réduire en escla-
vage. Naissent alors dans le cœur des opprimés la
haine et le besoin de vengeance. Il y a le cri pour
vivre, le cri pour la liberté, le désir de supprimer
l'oppresseur et ceux qui sont perçus comme tels. Ainsi
les murs de haine, de dépression et du refus de vivre

se dressent. Pour que l'humanité, chaque groupe ou lieu d'appartenance, et chaque personne sorte de ce cercle infernal de compétition, de rivalité et de guerre, il faut retrouver la réconciliation avec l'ennemi. L'ennemi est justement celui qui a voulu supprimer un autre ou un autre groupe pour avoir le pouvoir et le contrôle. Il est celui qu'on veut à son tour supprimer pour avoir la liberté. Il est nécessaire cependant d'atténuer ce que je viens de dire. Il y a certes les antagonismes et les préjugés entre personnes et peuples. Mais souvent ceux-ci ont été fortifiés par une propagande malsaine et mensongère, provoquée par ceux au pouvoir qui veulent étendre leur royaume. C'est facile de semer la peur et la haine dans le cœur d'un peuple quand le pouvoir contrôle les médias. Au Liban, musulmans et chrétiens vivaient côte et côte dans maintes villes et maints villages du pays ; de même, les différentes ethnies au Rwanda, en Bosnie et en Irlande du Nord. Puis, pour des raisons politiques et militaires, on crée la suspicion et la peur qui engendrent la haine. Les soldats se battent par loyauté à leur groupe et souvent parce qu'ils ne peuvent faire autrement. Mais dans le cœur du peuple il n'y a pas de haine, au moins au début des conflits ; il n'y a que le désir de paix.

Il y a l'ennemi d'un peuple ou d'une race, mais il y a aussi l'ennemi d'une personne ; il n'est pas alors quelqu'un d'un pays lointain mais quelqu'un proche d'elle, dans son entourage, au travail, dans la famille, le quartier, la communauté, etc. Il apparaît comme une menace à sa liberté, à son épanouissement personnel ; quelqu'un qui la dévalorise, la marginalise, qui lui fait du mal et provoque en elle de la colère, de l'angoisse ou la peur et une forme de dépression. Un tel ennemi ne peut pas toujours être nommé ou perçu comme tel. Une mère possessive peut empêcher la liberté de s'épanouir de son enfant. Elle est alors l'ennemie de son enfant. Pour que l'être humain grandisse sur le chemin de l'ouverture et de l'amour universel, il doit prendre conscience qu'il a des ennemis : des personnes qu'il ne veut pas voir ou avec qui il ne veut pas dialoguer ; il y a des personnes qu'il aimerait voir disparaître de son horizon.

J'ai déjà mentionné que, pour croître vers la guérison intérieure, il faut réaliser qu'on est blessé, malade dans son cœur et sa vie relationnelle ; il faut prendre conscience des ténèbres à l'intérieur de soi. De même, pour s'orienter vers les œuvres de paix et de réconciliation, il faut prendre conscience qu'on a des ennemis, les identifier.

Quand on recherche la guérison intérieure et l'unité à l'intérieur de soi, quand on veut devenir un artisan de paix, il est important d'identifier l'ennemi. Qui est la personne qu'on déteste le plus, qu'on cherche à tout prix à éviter, à qui on a du mal à pardonner, qui réveille en soi un malaise, des peurs, des colères qui peuvent se tourner en haine. Une femme m'a avoué au cours d'une retraite qu'elle découvrait que son ennemi était son mari. « Il est heureux quand il peut m'utiliser pour tout ce qui regarde la maison, la nourriture, le linge, l'éducation des enfants et même sa vie sexuelle. Mais il ne m'écoute jamais ; il ne prend jamais mon intelligence et mon point de vue en considération. Je sens monter en moi de terribles colères à son égard. Je ne sais quoi faire avec toute cette colère. » Peut-être aussi pour le mari, la femme était-elle son ennemie, mais il n'osait pas ou il ne pouvait pas en prendre conscience. Une autre femme, jeune étudiante à l'Université, m'a avoué qu'elle haïssait son père, professeur de philosophie dans un collège catholique, très estimé par les autorités de l'Église, admiré comme un homme vertueux, honnête

259

et religieux. « Quand il rentre chez nous, il s'enferme dans sa chambre pour lire des bouquins sans jamais me parler ; il ne m'écoute jamais. Je le hais ! »

J'ai déjà évoqué le système de défense que l'enfant crée à la suite de la communion brisée. Ce système de défense l'amène à diviser l'humanité entre les bons et les mauvais.

Et puis, un jour, au moment propice, il y a comme un réveil, un sentiment nouveau, un désir de changer. Le spectacle des conflits horribles de la guerre, de la haine, de l'oppression et de la mort éveille un désir d'œuvrer pour la paix dans son propre milieu. Il faut que les choses changent ! On en a assez des conflits. On se pose alors la question : le problème est-il en moi ? Faut-il voir un psychologue, un prêtre ou un thérapeute quelconque ? Il y a comme un sentiment que l'ennemi est en moi. Que faut-il faire alors ? C'est le moment utile pour parler avec quelqu'un, parler de ses colères, de ses aversions, de ses peurs, parler de ceux qu'on évite ou déteste. Découvrir une logique dans tout cela, des constantes. Pour certaines femmes, il y a peut-être la peur des hommes, elles se soumettent trop facilement à eux ; d'autres personnes cherchent trop souvent à avoir une place de victime accusant les autres. Pour certains hommes, la femme est l'ennemie car elle révèle le chaos à l'intérieur d'eux-mêmes ; pour d'autres personnes, il y a le besoin de dominer et de contrôler ; une peur d'être faible, d'être dans l'insécurité. Pour d'autres l'autorité est toujours l'ennemie ; ils ont eu de mauvaises expériences avec leurs parents. Naît alors un désir de vérité, de liberté, de rompre avec cette logique, de ne plus vivre dans la peur de l'autre ou de l'attachement à la flatterie ; c'est le désir de devenir soi-même, de ne plus être contrôlé par les peurs et les blessures du passé. C'est un moment de grâce et de lumière. De là naît ce désir de réconciliation et de paix. Qui peut changer mon cœur de pierre, fondé sur la peur, en cœur de chair où je deviens vulnérable devant l'autre ? Comment l'ennemi peut-il se transformer en ami ?

Est-ce que l'impossible peut devenir possible ?

Comme je l'ai dit dans la partie précédente, pour respecter, accueillir et aimer l'autre, il s'agit de reconnaître notre humanité commune, l'aspect sacré de chaque personne humaine, la plus faible, la plus pauvre, comme la plus forte et la plus riche. Sans cette vision et cette certitude de base, il ne peut y avoir une vraie force morale ni une avancée vers la paix et l'unité de l'humanité. Liée à cette certitude anthropologique il faut qu'il y ait aussi une certitude d'espérance. L'être humain aussi blessé qu'il soit, n'est pas voué à la division, l'oppression et la haine. Dans l'humanité tout entière, comme dans le corps humain, comme dans l'univers, il y a des puissances de guérison et des facteurs d'équilibre qui permettent la circulation de la vie. Il y a ces hommes et ces femmes, guides spirituels, témoins de l'amour, prophètes de paix, de réconciliation, qui peuvent aider des personnes à retrouver leur source dans le Dieu de la paix. Ces hommes et ces femmes puisent leurs racines dans une vision de foi ; et dans l'appel de l'humanité vers l'unité. Ils vont permettre à l'être humain de faire face aux conflits.

Le processus de réconciliation avec l'ennemi, la transformation de celui qu'on écarte en celui qu'on respecte et qu'on écoute, prend souvent son point de départ dans cette vision de foi, de confiance et dans cette certitude qu'il y a une puissance divine cachée au cœur de l'être humain qui conduit l'humanité vers l'unité et la paix. Mais il demande aussi la détermination d'avancer, de faire des efforts concrets et de lutter pour ne pas être dominé par la peur, la dépression, et la lassitude. Ces efforts qui constituent le pardon commencent par le refus de vouloir que l'ennemi soit éliminé, meure ou disparaisse, par la reconnaissance qu'il a le droit d'exister et de vivre car il est un être humain avec un cœur et une sensibilité ; il a le droit d'avoir une place sur la terre ; il a le droit d'être lui-même, avec ses limites, sa pauvreté, ses dons aussi. Cette reconnaissance implique des gestes concrets : ne plus dire du mal de lui ou chercher à le rabaisser. Certes, l'ennemi éveille des peurs et des blocages ; certes, on ne l'aime pas dans sa sensibilité ; on n'a pas de sympathie pour lui. Mais cela n'empêche pas qu'il a le droit d'être et de vivre, d'avoir une place, de pouvoir grandir, évoluer, changer, etc. En même temps il s'agit d'apprendre à penser avec bienveillance à cette personne, à considérer qu'il y a du bien en elle. Voir, penser, considérer ce qu'il y a de positif en lui et non rabâcher le négatif constitue la lutte du pardon.

Ensuite, il s'agit de faire l'effort de comprendre l'ennemi dans son histoire, ses blessures, ses fragilités. Retourner le jugement qui amène à la colère et à la haine en compassion. Il s'agit d'aider la fille en colère contre son père à découvrir que son père a été blessé par son propre père, qu'il y a eu un vide en lui, une peur de la relation. Ses attitudes de fuite par rapport à sa fille sont le fruit des blessures causées par le grand-père. Si la fille peut comprendre cela, sa colère se transformera petit à petit en compassion.

Il y a quelque temps, j'étais dans un monastère. Au réfectoire d'un monastère on ne parle pas. Devant moi, il y avait une dame d'environ cinquante-cinq ans, très bien habillée. Mais elle mangeait comme un

cochon ! En la regardant sont nés en moi des sentiments de colère et d'agacement. Pourquoi ses attitudes ou sa façon de manger éveillaient-elles en moi de
tels sentiments ? Je constatais que, moi-même, j'avais
un problème. Alors voyant que je perdais la paix, j'ai
cherché à comprendre. La femme était évidemment
angoissée et souffrante. Sa façon de manger venait
sûrement de ses angoisses. Ainsi, à l'intérieur de moi,
j'ai pu faire basculer le jugement du rejet en compassion.

Le processus de transformation de l'ennemi en
quelqu'un qu'on respecte et accepte est un processus
qui demande du temps, des efforts et une discipline.
La paix ne vient pas du haut du ciel ; elle vient, certes, de cette force cachée de Dieu, mais elle vient aussi
par les milles efforts qu'on fait chaque jour, des efforts
pour accepter l'autre tel qu'il est, de lui pardonner, de
s'accepter aussi soi-même avec ses propres blessures et
fragilités, découvrir que l'ennemi est en soi, découvrir
aussi comment gérer positivement ses propres blessures, peurs et angoisses.

Je suis touché par la Communauté de Réconciliation, à Corrymeela, en Irlande du Nord. Fondée par
un pasteur de l'Église presbytérienne, elle a comme
but la réconciliation entre catholiques et protestants
en lutte dans ce pays. Elle accueille, par exemple, pour
une fin de semaine une quinzaine de mères catholiques qui ont eu leur fils ou mari tué par les paramili-
taires unionnistes et une quinzaine de mères
protestantes qui ont eu un fils ou un mari tué par
l'I.R.A. Ces trente mères de famille pleurent, prient
et partagent leur souffrance ensemble. Elles découvrent un chemin de paix et de réconciliation.

Un assistant de l'Arche que j'accompagne m'a
raconté son désir de pardonner à son père. Celui-ci,
très autoritaire et contrôlant, l'avait fait beaucoup

souffrir. Je l'ai encouragé dans cette démarche de réconciliation et j'ai même suggéré qu'ils se rencontrent. « Non, m'a-t-il répondu, c'est trop tôt. Je me sens encore trop fragile et insécurisé. Mon père est un homme fort qui a du mal à écouter. Il faut qu'intérieurement je me fortifie avant de le rencontrer. Si je vais le voir aujourd'hui, il risque de m'écraser. Dans quelques années, ce sera peut-être possible. » J'ai admiré la sagesse de ce jeune. Il a vécu intérieurement le pardon et la réconciliation, mais il fallait attendre la plénitude de la réconciliation et, pour cela, il fallait que tous les deux soient préparés. Le fils devrait se fortifier intérieurement et le père s'affaiblir un peu avant qu'il puisse entendre son fils. Le pardon n'est pas une réalité qui se fait d'un coup. C'est un processus qui prend du temps. Le conflit jaillit de la blessure du père et de la blessure et de la fragilité du fils. Cela prend du temps d'assumer une blessure.

Une jeune femme emprisonnée à cause du faux témoignage d'un homme, a vécu une conversion profonde à la suite d'une expérience de Dieu. La religieuse qui a été un instrument dans cette conversion lui a parlé un jour du pardon vis-à-vis de cet homme. « Non, je ne peux pas. Il m'a fait trop mal. » Cependant, elle a ajouté : « Mais je prie chaque jour que Dieu lui pardonne. » Parfois des personnes ont trop souffert. Elles ne peuvent pas pardonner dans leur sensibilité, mais elles ne cherchent pas la vengeance ni la mort de l'autre. Elles veulent que ceux qui ont commis les injustices retrouvent la vérité et la justice, retrouvent Dieu. Jésus, cloué sur la croix, a crié : « Père, pardonne-leur ; ils ne savent pas ce qu'ils font. » Beaucoup de personnes qui commettent des meurtres et abusent des enfants ne savent pas ce qu'ils font.

L'Évangile nous livre un commandement de Jésus :

« Moi, je vous dis, aimez vos ennemis, dites du bien de ceux qui disent du mal de vous, faites du bien à ceux qui vous haïssent, priez pour ceux qui vous persécutent. » Ces paroles dites à des Galiléens persécutés par les Romains, ont dû les choquer. « Comment aimer ces brutes orgueilleuses, ces sans-Dieu ? » Et Jésus insiste : « Il est facile d'aimer ceux qui vous aiment, même les sans-Dieu peuvent aimer ainsi. Mais moi, je vous le dis, aimez vos ennemis... » Évidemment, aucun de nous ne pouvons aimer celui qui nous abuse, nous dévalorise, nous écarte de la vie sociale. Mais ces paroles de Jésus sont aussi une promesse : c'est comme s'il disait : « Je sais que toi, tout seul, tu ne peux pas pardonner. L'autre t'a fait trop de mal. Mais si tu veux, je te donnerai une nouvelle force pour faire l'impossible, je te donnerai mon Esprit, mais seulement si tu veux... » Il s'agit non de se fermer dans une attitude statique de victime, pleine de colère, de haine et de désirs de vengeance, mais d'ouvrir le cœur à l'Esprit de Jésus qui guérit peu à peu nos blocages et nos peurs, nous aide à faire des efforts pour que nous marchions sur le chemin de la paix.

La résolution des conflits

Apprendre à résoudre des conflits est une véritable urgence aujourd'hui : conflits au niveau de la famille, conflits entre l'homme et la femme, entre parents et enfants, au travail, au sein des organisations, des associations et des communautés humaines, conflits entre pays, races, religions. Il y a souvent, hélas, des cassures et des blocages entre les parties concernées. Montent alors les murs de jugement et de préjugés, parfois même des murs de haine. Dans le conflit, il y a le gagnant apparent et le perdant. Parfois, c'est le gagnant, surtout s'il a gagné par la force et le pouvoir, qui devient perdant ; la culpabilité et le mensonge cachés dans son cœur le détruisent de l'intérieur. Voici quelques principes que j'ai découverts à cet égard à l'Arche durant toutes ces années :

— Ne jamais fuir un ennemi, un conflit. Tâcher de le rencontrer au bon moment. Ne pas minimiser le conflit, prétendre que ce n'est pas grave, par peur de le regarder. Un petit feu est facile à éteindre. Plus tard, quand il est devenu un grand incendie, c'est plus difficile. Le conflit, comme la crise, est un signe de vie. Il peut préparer un nouveau temps de paix et d'unité. Le conflit caché, non avoué, qui se tourne en tristesse, dépression et mort intérieure est plus dangereux que les conflits visibles. Mais il faut prendre ce dernier au sérieux.

— Écouter. Écouter chacun et comprendre ce qu'il est en train de dire. Comprendre son point de vue, saisir les blessures qui ont été causées. Écouter aussi l'autorité, celui qui a le pouvoir, et comprendre où se situent ses peurs d'être remis en cause, car souvent celui qui a le pouvoir est sur la défensive.

— Chercher à saisir ce qui est de l'ordre objectif et ce qui est de l'ordre subjectif. Qu'est-ce qui relève d'une réalité extérieure aux personnes, qu'est-ce qui est conflit entre personnalités ? Car il y a toujours ces deux aspects dans un conflit. Il y a les éléments subjectifs et émotifs, et il y a des éléments objectifs du désaccord. Dans la résolution d'un conflit, il faut essayer de saisir ces deux aspects. Quand une des parties a un besoin compulsif de gagner et d'étendre le champ de son pouvoir, il faut éviter que dans la résolution du conflit il perde la face. Chacun doit avoir l'impression d'avoir gagné quelque chose et découvrir qu'il y a plus de profit et de bien-être dans la coopération que dans la guerre. Sinon l'un ou l'autre continuera le conflit.

Il faut du temps pour comprendre les éléments objectifs d'un conflit car souvent on donne aux mêmes mots des sens différents. Les conflits entre les différentes Églises chrétiennes ne sont pas seulement d'ordre émotif. Il y a aussi des théologies et des interprétations de la Bible différentes. Il faut prendre du temps pour comprendre la position de l'autre, son point de vue et pourquoi il accorde une si grande importance à tel aspect.

C'est pour cela qu'en communauté il est bon d'avoir une charte qui précise la vision, les buts, l'esprit de la communauté et une constitution qui précise la manière de la gouverner. Si on est d'accord sur ces fondements, il y a alors des points de repère qui permettent d'avancer ensemble.

— Il y a des conflits qui surgissent d'une terrible insécurité chez une personne. Cette insécurité a été contenue à travers un rôle, des possessions, parfois la possession d'une autre personne, des certitudes et des rites religieux, des activités particulières, etc. Retirez ce qui a contenu l'insécurité et il y aura une explosion d'angoisse ; l'insécurité ou le vide intérieur est trop insupportable. La personne n'a pas l'intériorité suffisante pour canaliser l'angoisse et le sentiment de culpabilité. Elle avait besoin de ce soutien extérieur qui les cache. La personne qui vit le deuil d'une responsabilité ou d'une activité peut devenir d'une violence inouïe contre un autre ou contre elle-même.

L'explosion peut devenir cependant l'occasion de guérison si la personne se sent suffisamment écoutée et respectée, si elle accepte d'être aidée dans ses angoisses par des personnes capables et fortes. Si elle refuse de l'aide, elle risque de se débattre comme une folle pour retrouver la réalité dont elle dépendait pour calmer les angoisses. Parfois, ces personnes vacillent entre le rôle de « sauveur » d'une institution, d'une communauté ou d'une personne, et le rôle de victime qui leur donne un certain statut ; les autres sont coupables. C'est comme si elle n'acceptait pas d'être une personne comme les autres.

— Beaucoup de conflits surgissent aussi du fait qu'il y a chez l'un ou l'autre des attentes différentes. Si on attend quelque chose de quelqu'un et qu'il ne la donne pas, on est déçu et en colère. Mais si l'autre ne le savait pas ou n'était pas d'accord pour donner ainsi, il y aura nécessairement un conflit. Le contrat accepté par les deux parties est important pour éviter ces conflits. Souvent on n'aime pas avoir un contrat. On veut demeurer dans le flou, l'affectif et le spirituel ; on a peur du rationnel et de la loi ; on a peur de préciser ce qu'on veut ou attend. On refuse alors de se situer au niveau de la justice et du droit des personnes.

D'une façon générale, beaucoup de conflits se règlent quand les uns et les autres peuvent s'exprimer librement, ensemble, dans une ambiance sécurisante ou autour d'une personne en qui tous ont confiance. Quand il y a l'écoute et l'expression le plus objectif de ses besoins et attentes sans passion, il y a souvent possibilité de paix. Pour cela il faut des animateurs ou modérateurs compétents et acceptés par les parties en conflit.

Il y a cependant des personnes qui semblent refuser tout compromis ; leurs *a priori* et leurs préjugés sont trop ancrés dans leur chair. Ils refusent d'admettre qu'il y a du bon dans l'autre. Ils refusent le dialogue et sont incapables de lâcher certaines de leurs certitudes pour s'ouvrir à l'autre. Ils doivent être des gagnants ou ils seront victimes, pleins de haine et de désir de vengeance. Dans ces situations, il faut à la fois beaucoup de patience et beaucoup de sagesse pour garder l'espérance d'un changement.

À notre époque de divisions, il est important qu'il y ait des hommes et des femmes formés dans la résolution des conflits qui aient l'intériorité et la sagesse nécessaires pour écouter les parties en opposition, saisir ce qui les unit afin que les peurs et les préjugés tombent et que chacun trouve l'aide nécessaire pour faire un pas vers l'autre. Il serait important qu'il y ait de plus en plus de lieux qui enseignent les voies de la paix et la manière d'aborder et de résoudre les conflits. On devrait même enseigner ces voies aux enfants à l'école. Notre monde devient de plus en plus un lieu de violence et de conflits ; il faut savoir comment prendre sa place dans ce monde et ne pas le fuir.

Il faut cependant avouer qu'il y a certains conflits entre des personnes qu'on n'arrive pas à résoudre. Elles font trop mal l'une à l'autre ; elles provoquent réciproquement trop de peurs, d'angoisses. Elles n'arrivent pas à admettre leurs propres blessures. La seule solution est alors dans la séparation qui peut donner l'espace à l'un et à l'autre pour retrouver la paix, prendre un peu de recul.

Faire des reproches

J'ai découvert à l'Arche l'art de faire des reproches. Quand on est en situation d'autorité et qu'on porte la responsabilité, il est parfois nécessaire de faire des reproches à celui qui a mal agi, par ignorance, passion ou mauvaise volonté, peu importe. Il y a des gestes antisociaux, provocateurs, qu'il est impossible d'ignorer chez une personne, sinon ils risquent d'augmenter. La personne qui agit ainsi attend plus ou moins consciemment qu'on lui dise quelque chose, qu'on fixe les paramètres de son comportement. Voici quelques remarques à ce sujet :

— Toujours éviter de faire un reproche à partir de sa colère et de sa propre blessure, mais attendre d'être dans la paix. Dans un foyer de l'Arche, par exemple, on décide que Pierre fait le lever et prépare le petit déjeuner à 7 heures. À 7 h 30, le responsable arrive, Pierre n'est pas là, le petit déjeuner n'est pas fait et tout le monde est encore au lit. Très mécontent, le responsable monte à la chambre de Pierre, frappe à la porte et crie sa colère. Mais peut-être Pierre a-t-il été malade durant la nuit. Il vaut mieux attendre paisiblement et puis, au bon moment, demander avec intérêt et compassion ce qui s'est passé. Il s'agit surtout de demander des explications plutôt que d'accuser. Il faut d'abord clarifier les faits et les motivations.

— Ne jamais faire un reproche sans d'abord faire sentir à la personne qu'on l'apprécie et qu'on l'aime. Il est inutile qu'elle ait l'impression qu'on la rejette, qu'on croie qu'elle n'a aucune valeur. Cela rend plus difficile l'accueil du reproche. Car ce qu'on veut, ce n'est pas humilier la personne, mais au contraire l'aider à évoluer et à mieux faire dans l'avenir.

— Il est bon d'indiquer à la personne que soi-même, on fait des erreurs. On ne parle pas ainsi d'une position de supériorité, à partir d'un piédestal. On est un frère ou une sœur qui a aussi ses défauts et qui veut aider l'autre à évoluer, parce qu'on l'apprécie et qu'on croit qu'il a beaucoup à apporter.

— Au cours de ce processus, il y a une attitude de fond : croire en la personne à qui on fait un reproche et l'aider à évoluer positivement vers une liberté plus grande, à être plus cohérente et vraie, à découvrir ses capacités de bonté mais aussi ses blessures et difficultés particulières.

La non-violence

La non-violence est une attitude en face d'un autre (ou d'un groupe) qui est agressif ou qui opprime, pour l'aider à évoluer vers un plus grand sens de la justice et de la vérité, sans le juger comme mauvais, sans vouloir l'agresser avec violence. La non-violence est une réponse à la violence destinée à éveiller la conscience de l'oppresseur. Elle est donc importante dans tout conflit, aussi bien devant un ennemi qu'au moment de faire des reproches. Elle implique que sa propre agressivité soit comme pénétrée par un amour de l'oppresseur et la conviction qu'il n'est pas totalement mauvais, qu'il y a du bon en lui et qu'il peut changer. Ce n'est pas la mort qu'on veut mais la vie. La violence en réponse à la violence jaillit la plupart du temps de la peur et de ses propres blessures : il faut se défendre ou attaquer pour éviter d'être écrasé. La non-violence jaillit de l'amour. Des personnes comme Gandhi, Martin Luther King, Dorothy Day, Jean et Hildegarde Goss-Mayr et bien d'autres ont développé non seulement la spiritualité et la philosophie de la non-violence mais aussi les tactiques nécessaires pour que la non-violence réussisse dans des situations difficiles sur le plan politique et social.

J'ai été moi-même témoin extérieur d'une action non violente au Brésil en 1974. Avec Robert et Nadine, j'ai été invité au consulat canadien de São Paulo à dîner avec Alphonse Perez, Hildegarde Goss-Mayr, Mario Calvario de Jésus, trois témoins de la non-violence. La soirée fut passionnante (malgré la fatigue qui me submergeait !). Le lendemain matin le prêtre canadien chez qui Robert, Nadine et moi logions a reçu un coup de téléphone. C'était la femme de Mario Calvario de Jésus qui nous disait que son mari n'était pas rentré cette nuit et qu'elle pensait qu'il avait été arrêté. Quelques coups de téléphone et le prêtre a vérifié que ses soupçons étaient justes. Son mari et les deux autres personnes avaient été arrêtés après le dîner. Ils étaient retournés à l'aéroport chercher leurs bagages venus par un autre avion de Buenos Aires. Ces bagages étaient remplis de littérature sur la non-violence. Pendant plusieurs heures, ils ont été interrogés dans des conditions de torture psychologique : cris, menaces, etc. Vers 4 heures du matin, les trois se sont retrouvés. On leur a apporté du café. Ils décidèrent de jeûner et de prier pour leurs oppresseurs afin qu'ils changent. Vers 15 heures, tous les trois ont été libérés sous la pression du cardinal Arns qui avait averti toutes les ambassades et les journaux. Peu de temps après, nous avons pu rencontrer chez lui Mario Calvario de Jésus qui nous a raconté en détail les événements de la nuit.

Je n'ai personnellement aucune expérience directe de la non-violence comme arme sur le plan politique et social. La réussite de cette arme implique l'utilisation des médias et, par là même, le soutien de nombreuses personnes qui font pression sur l'oppresseur. J'ai, en revanche, une certaine expérience de la non-violence comme moyen de faire tomber la violence des personnes, et surtout de certaines personnes avec un handicap que nous avons accueillies à l'Arche venant des hôpitaux psychiatriques. Pour certains, la violence est un langage qui attire l'attention, une attention nécessaire pour avoir le sentiment d'être. Elle est un cri qui jaillit de l'angoisse et de l'image blessée de soi. Elle est aussi signe de vie et d'espérance. Si on donne cette attention d'une façon positive et accueillante, sans répondre par la violence mais par la douceur et la compréhension, très souvent la violence disparaît.

Une fois, j'ai été abordé dans la rue de Trosly par un homme du village, grand et fort, hors de lui. Il criait contre l'Arche, contre les personnes avec un handicap qu'il détestait, et contre moi-même qu'il détestait aussi. Il me montrait le poing et cherchait à me faire peur. Il a réussi ; j'avais très peur ; mon cœur battait terriblement. Mais en même temps, j'étais incapable de fuir. J'étais comme cloué au sol. Il m'a frappé avec son poing sur l'oreille, mais pas trop fortement car il aurait pu me mettre par terre. Je me suis entendu dire : « Vous pouvez me frapper encore une fois si vous le voulez. » Il m'a regardé avec stupeur. Il y a eu un silence, puis il m'a tendu la main et m'a invité à entrer chez lui. Mon corps tremblait mais je l'ai suivi. J'avais eu très peur mais je ne l'avais pas manifesté à cause d'une force qui venait d'ailleurs, et c'est lui qui a perdu pied.

Je ne dis pas qu'un homme décidé à tuer s'effondrera toujours devant la non-violence. Il y a tellement de cas d'espèce. Tout ce que je sais, c'est que si on traite un violent comme un humain et non comme une bête féroce, il y a des chances qu'il réponde comme un humain. Cela implique qu'on ne lui fasse pas peur et qu'on essaie de dialoguer avec lui comme un humain. Mais ne pas avoir peur et ne pas faire peur n'est pas une question de volonté. Il s'agit d'une force qui vient d'ailleurs, d'en haut, comme dans le cas des Alcooliques Anonymes.

Résolution des conflits sur le plan politique

Dans tant de conflits ou de situations d'oppression, la violence éclate après des années et des années où l'oppresseur a refusé d'écouter ou de dialoguer. La violence est un langage qu'on utilise parce qu'on ne peut plus utiliser la parole. Il en va de même dans certaines situations personnelles. Un ami malade mental était dans un hôpital psychiatrique près de Paris. Au cours d'une visite, je lui ai demandé s'il avait vu le psychologue du service. « Est-ce difficile de le voir ? » Il a souri et répondu : « Je sais comment y faire. Je crée une crise, je deviens violent et tout de suite je le vois. » La violence est un langage, un appel, un cri.

Dans tant de conflits politiques, on passe par la violence — une violence qu'on ne peut supprimer — pour obliger l'oppresseur à écouter, à dialoguer. L'Afrique du Sud est un cas précis où on a dû passer par la violence (avec aussi le soutien des puissances internationales), pour arriver à la démocratie et à la paix. Il fallait aussi beaucoup d'hommes et de femmes en Afrique du Sud, prophètes de paix, qui ont osé agir avec non-violence utilisant des moyens légaux pour faire flancher la volonté des oppresseurs. En revanche, d'autres violences, cris pour la liberté, ont été écrasées avec encore plus de violence : les autochtones de l'île de Haïti et de la République dominicaine sont tous morts des maladies venues de l'Europe et des armes des Espagnols et des Français. Les aborigènes d'Australie ont été écrasés par des envahisseurs blancs.

Les murs qui séparent les groupes s'affaiblissent quand des hommes et des femmes reconnaissent leur humanité commune. Les préjugés commencent à tomber, la vérité est annoncée. Les personnes ennemies commencent à s'écouter parce qu'elles ont découvert une réalité au-delà de la victoire de l'une ou l'autre des parties : la beauté de chaque être humain, quels que soient sa culture, sa race, ses handicaps, et la beauté de la coopération entre les personnes.

Des étoiles à la boue

La vie humaine passe par des phases très différentes, de la faiblesse à la faiblesse, du sein de la mère au sein de la terre, en passant par des phases d'activité et de lumière, par des phases de perte d'activité et de lumière et donc de souffrance. Le petit enfant vit l'instant présent dans une relation où la chair et le corps ont une place primordiale. C'est le temps de la relation, du cœur à cœur, à travers un corps à corps. C'est le jeu, le rire, la célébration de l'amour. C'est le temps de la communion dans la confiance et la simplicité. Puis vient le temps de la séparation avec les parents. La vie pousse l'enfant en avant ; il a été blessé au niveau de la communion et de l'amour. Il grandit, il cherche la lumière ; il se méfie de la relation. Il cherche une identité différente de celle de ses deux parents. C'est le temps de l'intolérance, la recherche de l'idéal et des amis, le besoin de se prouver, le temps de la formation. Il veut faire les choses mieux que ses parents. Il veut découvrir par lui-même un nouveau chemin. Il va vers l'universel et l'idéal, certain (mais aussi incertain et inquiet) de sa bonté et de ses capacités ; sûr aussi de la valeur de son groupe. Il quitte le nid et tout ce qui est petit pour l'excellence, pour être grand, pour réussir.

Dans cette montée vers l'excellence, la reconnaissance, le pouvoir, il tend à en écraser d'autres. Il tend, sans nécessairement le vouloir, à créer la division, à renforcer le double monde des forts et des faibles, des riches et des pauvres, de ceux qui réussissent et ceux qui vivent l'échec.

Et puis, à un moment il met ses racines dans la terre ; il vit une alliance avec d'autres en famille ou dans une communauté, il découvre sa fécondité. Alors de l'idéal il descend sur la terre. Il découvre comment, dans ses recherches trop personnelles, il a été facteur de division. Il découvre ses propres blessures et ses peurs fondamentales. Il désire trouver la paix à l'intérieur de lui-même, être facteur de paix et de réconciliation dans sa propre vie, sa famille, son entourage, dans son pays, son Église, et dans le monde. La division souvent fondée sur des préjugés et des peurs, amène des injustices, la guerre, la haine, la mort. N'y a-t-il pas un chemin vers l'unité et la paix où chacun, quels que soient ses dons, ses limites et ses faiblesses, puisse trouver sa place et vivre ? C'est alors qu'il découvre que le chemin de la paix ne consiste pas à monter vers la lumière dans une recherche de puissance, de reconnaissance et d'un rayonnement de plus en plus grand. Le chemin de la paix est dans la descente vers le petit et le faible. C'est là le mystère et le paradoxe.

Souvent l'adolescent a fui la terre de son corps et de son cœur. Il a eu peur de la communion, comme il a eu peur de ses propres forces sexuelles qui semblent porter en elles des éléments chaotiques. Il fallait qu'il trouve son être, sa propre identité, pour que progressivement, comme adulte, il puisse retrouver la terre de son corps et de son cœur, la relation de communion et de compassion à travers des gestes concrets et humbles de tendresse. Ce qu'il a fui comme adolescent, la communion, la tendresse, devient ce dont il a besoin pour retrouver l'unité intérieure et pour donner la vie. C'est une conversion, un changement de route. Dieu et l'universel ne sont pas dans le ciel et les étoiles, ils ne sont pas dans des théories, des idéologies, des idéaux, ils sont cachés dans la personne concrète, dans la terre de la chair, dans la boue, dans la matière. Ils sont cachés dans les pauvres et les faibles qui crient avant tout pour la reconnaissance et la communion.

Comme ce qu'il y a de plus pur et de plus propre

jaillit de ce qui est pourri : le vin et l'alcool, des fruits fermentés ; la pénicilline, de la gangrène ; comme la terre est nourrie par les excréments des animaux et des feuilles mortes ; ainsi la guérison du cœur et de nos divisions intérieures se réalise dans la mesure où nous entrons en communion avec tout ce que nous avons rejeté, tout ce qui nous a fait peur : le pauvre, l'ennemi, le faible, l'étranger. C'est le retour vers la terre, la matière, la boue. Car cachée dans cette terre, il y a une lumière. Ce retour a lieu dans l'humilité, mot qui vient de « humus », la terre.

Ainsi on découvre que nous avons besoin les uns des autres ; nous faisons partie d'une humanité commune, d'un corps universel, où chaque être humain est important et a une place. Nous ne sommes pas faits pour être des héros solitaires, des gens « admirables », mais pour être pleinement et profondément humains chacun à sa place avec ses dons et limites dans le corps de l'humanité. Si nous oublions notre terre, la terre de notre planète, la terre de nos corps et de nos cœurs ; si nous croyons que nous ne sommes que volonté, intelligence, esprit, conscience de soi, puissance, alors nous irons vers l'explosion. Si nous voulons le grand et l'universel en nous mettant sur des piédestaux et si nous oublions la personne petite, faible, ayant un corps fragile voué à la maladie et à la mort, qui a besoin de soins, de nourriture, de détente et d'amitié, alors tout se cassera. La grande tentation de l'être humain est d'être séduit par la puissance et de refuser la communion avec sa vulnérabilité et sa petitesse. Mais si nous prenons le chemin du cœur et de la communion avec des personnes réelles, nous pourrons rebâtir la terre ensemble.

Mais, avouons-le, cette terre est une vallée de larmes et de souffrance. Il y a la maladie et la mort ; il y a les divisions, la haine, l'oppression et la guerre ;

il y a les injustices et les inégalités. En chaque personne il y a le combat entre guerre et paix, lumière
et ténèbres, confiance et peur, altruisme et égoïsme,
ouverture et fermeture. Devant la souffrance, la maladie, la mort, la faiblesse il peut y avoir le réveil et
l'appel à l'amour et à la compassion, comme il peut y
avoir la fuite dans les idées et des théories et par le
fait même dans l'endurcissement du cœur.

La descente dans la terre est aussi une descente
dans la boue des ténèbres, des peurs et des blessures
à l'intérieur de soi. La conversion de la voie compétitive à la voie du cœur et de la communion implique
qu'on passe par les peurs d'être possédé, les angoisses
et les sentiments de culpabilité. Le pauvre et le vulnérable à l'extérieur de soi révèle le pauvre et le vulnérable à l'intérieur de soi. Pour découvrir la vraie
communion où on ne possède pas l'autre, on doit passer par une certaine mort où on fait confiance et on
s'abandonne, mais c'est aussi un certain abandon. On
ne peut le faire en toute vérité que si on accepte d'être
aimé par Dieu, gratuitement, inconditionnellement,
dans la boue et la pauvreté radicale de la créature,
dans son impuissance et ses culpabilités. C'est la révélation première et ultime. On n'a plus besoin de se
défendre. On est pardonné et aimé. C'est le retour à
la source, à la paix et à l'extase intérieure, silencieuse,
de la communion. Dieu s'est fait chair en nous. Il
n'est plus présent, lumineux dans le soleil, mais humblement dans la boue.

Aujourd'hui l'humanité est à un tournant. Avec la
technologie nous pouvons tout faire, sauf rendre notre
planète plus aimante et plus heureuse. La technologie
donne le progrès matériel et séduit l'humanité. Elle
est partie vers la conquête de la lune et des étoiles. Ne
faut-il pas maintenant retourner vers la terre, redé-

couvrir l'humain, regarder ensemble le faible et le pauvre pour que nos cœurs puissent être touchés et notre intelligence éveillée par la compassion.

Mais ce retour vers la terre, vers l'humain, vers la communion avec chaque personne implique, comme nous l'avons dit, une conversion. Quel événement pourrait déclencher un tel changement ?

Comment entreprendre ce nouveau voyage et choisir la paix ? Comment découvrir que la lumière et la guérison se trouvent dans ce qu'on a méprisé et rejeté comme sale, laid et ténébreux ? Quelle expérience de lumière, d'amour, de paix intérieure faut-il avoir pour pouvoir effectuer ce changement d'attitude et de regard ? Dans le livre d'Osée, il y a un texte qui nous aide. Le prophète livrait, sept siècles avant notre ère, cette parole de Dieu : « C'est pourquoi je vais la séduire. Je vais l'amener au désert et je parlerai à son cœur et je changerai la vallée d'Akkor en Porte d'espérance[1]. »

Le Val d'Akkor (qui signifie vallée du malheur) était des gorges près de Jéricho, réputées pour être dangereuses. Le peuple juif les contournait par peur. Cette vallée était certainement un repaire de brigands, mais également de bêtes sauvages, de serpents et de scorpions. Et voilà que le prophète annonce que Dieu, après une rencontre amoureuse, où Il parlera au cœur de la personne, fera de cette vallée une porte d'espérance ; elle ne sera plus un lieu maudit qu'on évite. Si on y pénètre, on découvrira qu'elle conduit vers la vie. Si à la suite d'une rencontre avec la tendresse de Dieu, nous osons pénétrer dans le monde de nos propres ténèbres, là où nos démons rôdent ; si nous osons pénétrer dans le monde de la souffrance et de la pau-

---

1. Osée, 2,16.

vreté extérieures à nous, alors nous serons libérés de nos peurs et de nos besoins de fuir ailleurs. Nous deviendrons des porteurs d'espérance.

REMERCIEMENTS

J'ai une reconnaissance spéciale pour Frédéric
Lenoir. Ce livre est né de notre amitié et de ses encou-
ragements. Il a été amélioré par son travail, ses suggestions et ses critiques constructives.

Je voudrais aussi remercier Anne-Sophie Andreu,
Yves Breuil, Odile Ceyrac, Jean De la Selle, Danielle
et George Durner, Gilles Lecardinal, Marie-Hélène
Mathieu, Claire de Miribel, Alain Saint Macary,
Xavier Thevenot. Chacun par ses corrections, suggestions et conseils, a aidé pour que ce livre soit plus
vivant et lisible.

Je remercie également Laurent Beccaria des édi-
tions Plon qui a apporté des suggestions importantes
pour l'amélioration du texte.

Table des matières

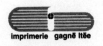

imprimerie gagné ltée

IMPRIMÉ AU CANADA